D1065132

SACRÉ VAMPIRE !

Pour James, Amelia
et Katharine.

Habillage de couverture : Nicolas Duffaut

Publié avec l'autorisation de Katherine Tegen Books, HarperCollinsPublishers.

Titre original : Araminta Spookie – *VAMPIRE BRAT*

Loi n° 49956 du 16 juillet 1949 sur les publications destinées à la jeunesse
ISBN 978-2-09-251727-7

Araminta Spookie

SACRÉ VAMPIRE !

Raconté par Angie Sage

Illustré par Jimmy Pickering

Traduit de l'anglais (États-Unis)
par Anne Delcourt

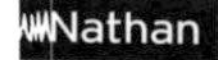

Sommaire

Le caca de chauve-souris 7

Le coup de tonnerre 25

L'orage 41

Le gang du corbillard 53

Max Drac 65

Le nouveau meilleur ami de Wanda 83

Le Double Nécessaire
à Pièges Spookie 101

Le ragoût spécial vampire 121

Le sale mioche de la chaudière 133

La chasse au vampire 151

L'appât 173

Quenotte 191

Le chat-vampire 207

Le caca de chauve-souris

Il se passe de drôles de trucs dans la Maison aux Revenants – des trucs de loups-garous et de vampires.

Tout a commencé quand tante Tabby a buté sur la malle au trésor de messire Horace. Messire Horace est notre meilleur fantôme. Il habite dans une armure, et se promène un peu partout dans la maison. Il n'y a pas très longtemps, j'ai récupéré sa vieille malle au trésor dans son vieux château. Depuis, elle trône dans l'entrée, parce qu'elle est tellement lourde que personne ne veut la déplacer. Moi, ça m'allait très bien, qu'elle soit là, mais pas à tante Tabby. Elle disait que ça sentait bizarre ; ce qui est vrai, mais c'est vrai d'un tas de choses dans la Maison aux Revenants.

Brenda, Barry et Wanda Sorcel vivent tous les trois dans la Maison aux Revenants avec tante Tabby, oncle Drac et moi. Des fois, c'est assez rigolo. D'autres fois, ça peut être très casse-pieds. Ce jour-là était un jour casse-pieds.

– On ne peut pas garder ce coffre ici, a décrété tante Tabby en se caressant le menton. Araminta, demande à Barry de t'aider à le monter à l'étage pour qu'on soit tranquille.

Barry, le père de Wanda, ne voulait pas monter le coffre à l'étage pour qu'on soit tranquille. Il a dit qu'il avait déjà assez de trucs lourds et puants à soulever comme ça. Mais c'est tante Tabby qui a gagné, comme d'habitude. Wanda et moi, on a aidé Barry à transporter la malle jusqu'à la salle de bains-avec-un-fantôme-dans-la-baignoire, en haut de l'escalier. Évidemment, il n'y a plus aucun fantôme dans la baignoire, ça, c'est sûr ; je le sais, parce que j'ai attendu des heures dans l'espoir d'en voir un en train de prendre son bain, et que ça n'a rien donné. En plus, pourquoi un fantôme prendrait-il un bain ? Ça ne leur servirait à rien, puisqu'ils ne se salissent pas.

On venait de poser le coffre à côté de la baignoire, quand Brenda, la mère de Wanda, est entrée. Son chat avait disparu depuis trois jours, et ça commençait à la rendre un peu zinzin.

– Chouminou n'est pas dans cette malle, par hasard ? a-t-elle demandé.

– Je ne crois pas, a répondu Wanda. Il n'aimerait pas l'odeur.

Je n'étais pas de son avis, parce que Chouminou a une odeur très forte.

– C'est peut-être Chouminou qui sent, ai-je suggéré.

Brenda a poussé un petit cri strident.

– Ouvrez-la, ouvrez-la ! a-t-elle piaillé.

On l'a ouverte. Chouminou n'était pas à l'intérieur. Barry a emmené Brenda s'asseoir quelque part au calme.

Messire Horace nous avait déjà montré ce qu'il y avait dans son coffre au trésor. Mais puisquil était ouvert, Wanda et moi, on en a profité pour regarder, au cas où on aurait raté quelque chose d'intéressant la première fois. Mais non. Il n'y avait rien qui ressemble à un vrai trésor, seulement des vieux papiers, une patte de lapin porte-bonheur moisie et un vieux sifflet en argent cabossé. En fait, messire Horace nous avait déjà donné son seul vrai trésor – deux médailles en or –, qu'on gardait sous nos oreillers.

Brenda a passé le reste de la matinée à arpenter la Maison aux Revenants en appelant « Ici, minou minou, viens ici, mon petit minou chéri, viens voir ta maman mamou... » et autres trucs ridicules du même genre. Même Wanda, qui a un petit côté comme ça aussi, a fini par en avoir assez. Mais Brenda continuait. Je crois qu'elle adore Chouminou plus que tout au monde – peut-être bien qu'elle préfère un tout petit peu Wanda, mais pas beaucoup. En plus, Chouminou n'est pas particulièrement sympathique ; il est du genre à vous cracher à la figure s'il estime qu'on a fait quelque chose de mal. Et puis il est gros et il n'arrête pas de grossir, parce que Wanda peut dire ce qu'elle veut, je sais qu'elle lui donne à manger mes chips au fromage et à l'oignon.

Deux heures plus tard, même tante Tabby en avait assez d'entendre Brenda se lamenter en cherchant son chat. Du coup, elle a décidé qu'il fallait l'aider à fouiller la maison. Brenda et elle devaient commencer par le haut, et Wanda et moi par le sous-sol. On devait se retrouver au milieu.

J'aime bien le sous-sol de la Maison aux Revenants. C'est plein de couloirs qui se tortillent et qui tournicotent, qui mènent à des petites cuisines, des grandes cuisines, des buanderies, des garde-manger, des débarras et à toutes sortes de recoins mystérieux.

Et derrière certains murs, il y a même un passage secret. J'y suis allée plusieurs fois, mais pour y accéder, il faut passer par une petite porte qui se trouve sous l'escalier du grenier, tout en haut de la maison. Ensuite, on descend par une espèce d'ascenseur terrifiant et par une échelle branlante. Je me dis souvent qu'il doit y avoir un chemin plus court – comme une autre porte secrète quelque part au sous-sol –, mais je ne l'ai pas trouvé.

Je ne l'ai pas dit à Wanda, mais j'ai décidé de ne pas perdre mon temps à chercher Chouminou. De toute façon, il ne viendrait pas me voir même si je l'appelais super gentiment. Je n'aime pas Chouminou et il ne m'aime pas. Comme dit oncle Drac, c'est un sentiment réciproque. Alors, pendant que Wanda prenait le grand couloir qui dessert toutes les cuisines, en criant « Chouminou, ici, Chouminou ! » avec une voix qui faisait penser à celle de Brenda changée en souris, j'ai filé dans le couloir qui conduit à la trappe à caca de chauve-souris. Ma destination était le Recoin Glauque, où Barry stocke tous les sacs où on met le caca. Je n'avais jamais exploré ce coin-là. D'une manière ou d'une autre, tante Tabby sait toujours où je suis, et elle me dit : « Je ne vois vraiment pas ce qu'il y a d'intéressant ici, Araminta. Sors de là tout de suite. » Mais cette fois, elle était à l'autre bout de la maison, tout en haut de la Maison aux Revenants. En fait, Brenda et elle étaient en train de chercher Chouminou sur le toit. J'étais tranquille. Au moins côté tante Tabby.

La trappe à caca de chauve-souris se trouve en bas de la tourelle d'oncle Drac, là où vivent ses chauves-souris. Tous les jours, Barry, le père de Wanda, remplit les sacs de caca à la pelle. C'est pour ça qu'en tournant dans le couloir je me suis retrouvée bloquée par une montagne de caca de chauve-souris et qu'une voix m'a dit :

– Qu'est-ce que tu fabriques ici, Araminta ?

– Je cherche Chouminou, lui ai-je répondu.

Ce n'était pas tout à fait vrai, puisque je cherchais une porte secrète. Mais comme j'avais quand même des chances de trouver Chouminou, ce n'était pas non plus tout à fait un mensonge.

La tête de Barry a surgi au-dessus du caca.

– Tu as aussi caché Chouminou ? m'a-t-il

demandé d'un air suspicieux.

J'ai soupiré. Je savais qu'il me posait cette question à cause des grenouilles. Barry a de grenouilles acrobates qui savent faire de chouettes tours. On pourrait en conclure que c'est quelqu'un de rigolo, mais pas du tout. Il est toujours en train de ronchonner et de vous soupçonner de quelque chose.

Par exemple, il croit que j'ai volé ses grenouilles il n'y a pas longtemps, ce qui est faux. C'est même moi qui ai retrouvé leur piste et qui les lui ai rendues[1].

Est-ce que ça lui a fait plaisir ? Même pas.

Est-ce qu'il s'est exclamé : « Oh, merci, merci, Araminta, je te serai éternellement reconnaissant ! » ? Même pas.

1- Voir *Détectives aquatiques*.

Puisque c'est comme ça, je ne m'embêterai plus avec ses grenouilles. Vous n'avez pas idée des ennuis que ça crée. Mais comme tante Tabby dit que je dois rester polie, j'ai demandé :

– Comment vont tes grenouilles, Barry ? Elles sont en bonne santé ?

Il a souri bizarrement, et il a dit :

– On ne me trompe pas si facilement, Araminta.

Et il s'est remis à pelleter le caca.

– Excuse-moi, ai-je roucoulé dans mon meilleur style tabbyesque, pourrais-je passer ?

– Non, tu ne peux pas, a rétorqué Barry. Je viens de passer une heure à pelleter du caca de chauve-souris, je ne vais pas en passer une autre à le déplacer rien que pour que tu puisses traîner dans le coin. J'ai même un autre sac à remplir, si tu veux m'aider.

– Non merci, ai-je répondu.

Si vous ne connaissez pas la Maison aux Revenants, vous devez vous demander pourquoi le père de Wanda remplit des sacs de caca de chauve-souris. Mon oncle Drac élève des tonnes de chauves-souris dans sa tourelle. Avant, il vendait leur caca, mais maintenant, il s'est lancé dans le tricot. Pendant longtemps, le caca s'est empilé, ça devenait ignoble, jusqu'à ce que Barry reprenne le commerce de caca de chauve-souris. Maintenant, c'est lui qui transfère le caca au sous-sol par la trappe (même si oncle Drac le fait un peu la nuit), pour le mettre dans des sacs et le vendre à la grille du jardin. Il donne la moitié de l'argent à oncle Drac, qui s'en sert pour acheter tout un tas de laines bizarres pour sa nouvelle affaire de tricot. En ce moment, je crois qu'il tricote des cornichons. Il m'a offert une barre chocolatée en tricot pour mon anniversaire. C'était gentil, mais j'aurais préféré une vraie.

Barry a disparu par la trappe pour retourner pelleter. Dès qu'il est parti, je me suis bouché le nez et j'ai grimpé sur la montagne de caca. C'était dégoûtant, tout visqueux, et ma chaussure s'est enfoncée dedans. Ça me dépasse, qu'il y ait des gens qui achètent ce truc.

Je n'étais jamais allée plus loin que la trappe, et j'étais super excitée, et pas du tout effrayée. Enfin, pas trop. J'étais sûre que, d'une minute à l'autre, j'allais trouver une porte secrète pile comme celle qui se trouve sous l'escalier du grenier, et qui donnerait directement sur le passage secret qui tournicote entre les murs du sous-sol.

Je me suis retrouvée dans le noir tout de suite après le Recoin Glauque, alors j'ai allumé ma lampe torche, que j'ai toujours dans ma poche. Je ne m'attendais pas à ce que le couloir soit aussi étroit. Et il était plein de piles de sacs vides prêts à être remplis de caca. Je me suis faufilée pour passer et j'ai continué mon chemin. On voyait que personne n'était venu là depuis des années, parce qu'il y avait plein de toiles d'araignées géantes qui se prenaient dans mes cheveux comme des bouts de ficelle gluants. Il y avait des méga araignées qui dégringolaient des toiles dans tous les coins. Je me suis dit que ça tombait bien que Wanda ne soit pas avec moi, parce qu'elle déteste les araignées. Elle se met à hurler dès qu'il y en a une qui lui tombe dessus, et ça me fait mal aux oreilles.

Mais après le tournant suivant, j'ai vraiment regretté qu'elle ne soit pas avec moi. Parce que, tout à coup, j'ai entendu un grondement sourd tout près de moi. J'ai eu tellement peur que j'ai lâché ma lampe torche, qui est tombée en éclairant deux yeux étincelants. Je n'osais plus bouger. Un nouveau grondement prolongé m'a fait dresser les cheveux sur

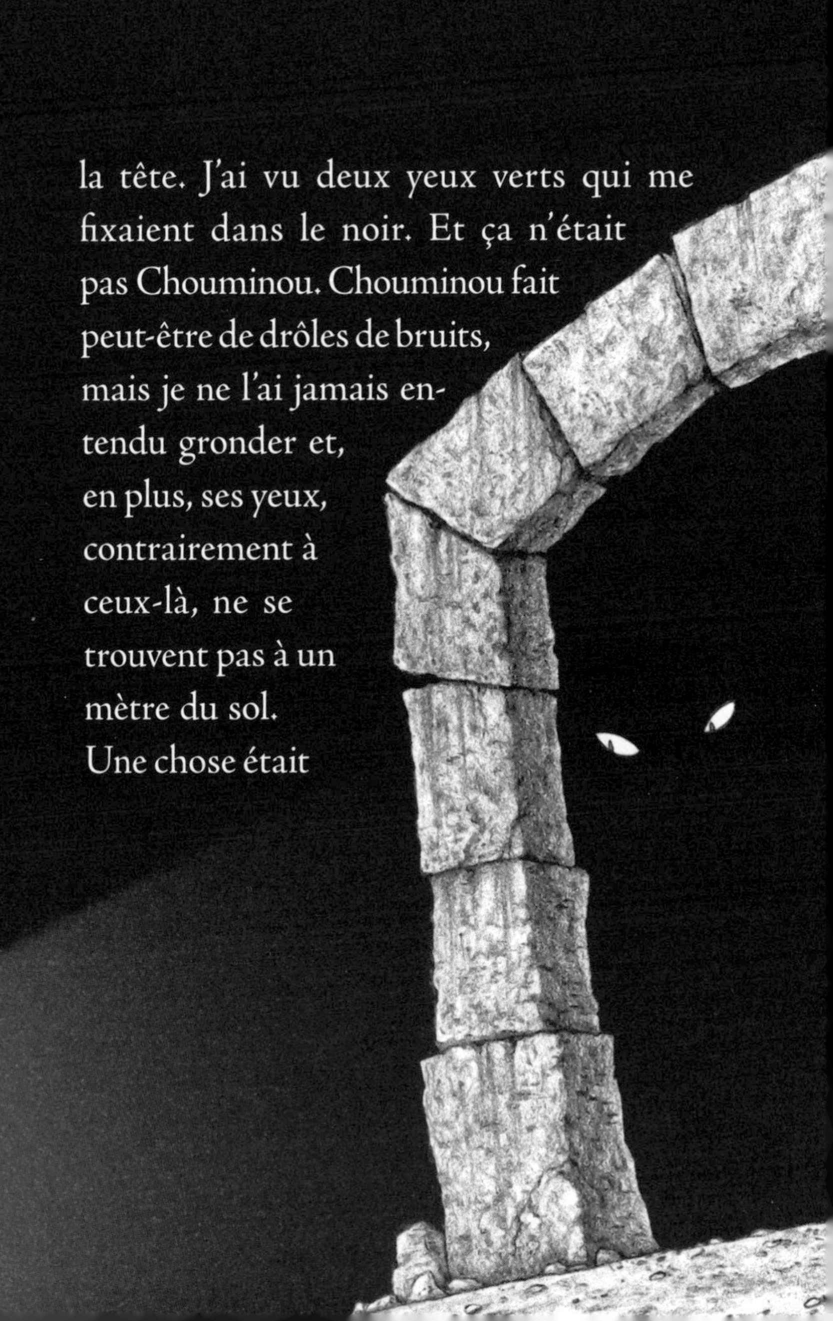

la tête. J'ai vu deux yeux verts qui me fixaient dans le noir. Et ça n'était pas Chouminou. Chouminou fait peut-être de drôles de bruits, mais je ne l'ai jamais entendu gronder et, en plus, ses yeux, contrairement à ceux-là, ne se trouvent pas à un mètre du sol. Une chose était sûre : ce truc était beaucoup plus gros que Chouminou.

Les yeux me fixaient et je les fixais, et j'ai eu l'impression que ça durait des heures. Mais je n'ai pas fait mon Regard-qui-Tue ni rien. Je le fixais parce que je n'osais pas regarder ailleurs. Et je n'osais pas regarder ailleurs parce que j'avais compris ce que c'était : des yeux de loup-garou. Si on arrête de regarder un loup-garou dans les yeux ne serait-ce qu'une seconde, il vous saute dessus. Votre seule chance est de partir tout doucement à reculons, et ensuite, de courir le plus vite possible.

C'est ce que j'ai fait. J'ai laissé ma lampe torche là où elle était et j'ai foncé. En plein dans la montagne de caca de chauve-souris. Beurk.

Le coup de tonnerre

Wanda ne m'a pas crue quand je lui ai annoncé que j'avais vu un loup-garou.

Elle était dans la chaufferie, en train de se goinfrer de nounours gélifiés en se réchauffant les mains sur la chaudière. Elle ne cherchait pas beaucoup Chouminou, si vous voulez mon avis. Bref, je suis entrée en trombe, couverte de caca de chauve-souris, et Wanda n'a pas du tout eu l'air ravie de me voir.

– Argh ! s'est-elle écriée en faisant un bond en arrière. Ne mets pas de ce truc sur moi. Ni sur la chaudière. Maman ne serait pas contente.

C'est Brenda, la mère de Wanda, qui s'occupe de la chaudière. Elle est très forte pour ça, et la chaufferie est parfaitement entretenue maintenant. La chaudière est astiquée, le sol est balayé et il y a une petite rangée de seaux de charbon et un réveil. Toutes les trois heures, le réveil sonne et soit Barry, soit Brenda vient alimenter la chaudière avec un seau de charbon. Même oncle Drac participe de temps en temps, mais pas tante Tabby ; ce qui est une bonne chose, je trouve, parce qu'elle ne s'entend pas très bien avec les chaudières[1]. Mais ce

---

1- Voir *Ma Maison hantée*.

jour-là, vu que Brenda était occupée à chercher Chouminou, la chaudière n'était pas en si bon état et elle émettait de drôles de gargouillis – à moins que ce ne soit Wanda.

J'ai obligé Wanda à me donner quelques nounours et je lui ai raconté les grondements et les yeux de loup-garou. Mais elle ne m'a pas crue.

– Mais, Araminta, a-t-elle objecté, sur le ton qu'elle prend pour me dire une chose qu'elle croit que j'ignore, tout le monde sait que les loups-garous sont juste des gens normaux pendant la journée ; alors, ça ne peut pas en être un. Et s'il y a un loup-garou dans la Maison aux Revenants, c'est forcément quelqu'un qui y habite. Comme ta tante Tabitha… ou même toi. En fait (là, elle m'a regardée bizarrement), tout bien réfléchi, c'est sans doute toi.

C'est dur de devoir toujours tout expliquer à Wanda, mais je me suis habituée.

– Écoute, Wanda, ai-je dit très patiemment, c'est évident que ce n'est pas moi. Je le saurais, non ? Et d'ailleurs, si j'étais un loup-garou, je ne crois pas que tu serais encore là. Je t'aurais déjà dévorée pour le dîner.

Wanda ne m'a pas répondu. Elle a juste fourré une nouvelle poignée de nounours dans sa bouche, sans m'en proposer un seul ! Alors, j'ai continué mon histoire :

– C'était horrible ! Tu serais morte de trouille. Il grondait et il avait des grands crocs tout jaunes et une grosse fourrure tout emmêlée. Et des griffes. Et il bavait.

Des seaux de bave. Il y en avait partout par terre.

D'accord, je n'avais rien vu de tout ça, mais c'est ce que montre le dessin dans *Comment repérer les loups-garous* ; je ne devais pas être loin de la réalité.

Wanda a commencé à avoir l'air un peu paniquée.

– C'est vrai ? a-t-elle demandé en avalant le dernier nounours.

J'ai confirmé d'un hochement de tête.

– Imagine qu'il arrive ici en douce et qu'il nous saute dessus, a-t-elle murmuré en glissant des coups d'œil furtifs dans la pièce.

Je n'avais pas pensé à ça. J'avais supposé que Barry et sa montagne de caca de chauve-souris suffiraient à tenir un loup-garou à l'écart, mais tout à coup, il m'a paru plus prudent de remonter du sous-sol, au cas où. Et là, il s'est produit un truc qui m'a vraiment donné la chair de poule. On a entendu un *BANG* retentissant et toutes les lumières se sont mises à clignoter. Wanda a hurlé et on a pris nos jambes à notre cou.

En remontant l'escalier du sous-sol, on a foncé dans Brenda qui descendait.

– Wanda, Araminta, a-t-elle déclaré, il

y a un orage terrible. Venez vous mettre à l'abri dans la cuisine.

Elle nous a agrippées toutes les deux pour nous conduire dans la troisième-cuisine-à-droite-juste-après-le-tournant-derrière-la-chaufferie. Sans avoir eu le temps de dire ouf, on s'est retrouvées à table à manger les sandwiches à l'œuf et à la laitue de Brenda – sauf que ma laitue avait mystérieusement réussi à s'échapper et à tomber par terre. Dans la Maison aux Revenants, la laitue a toujours le goût de caca de chauve-souris, parce que tante Tabby en met comme engrais. Berk. Et maintenant que Brenda élève de drôles de poulets dans la cour, il y a de l'œuf dans tous ses sandwiches. Œuf-banane, œuf-mayonnaise, œuf-beurre de cacahuètes, œuf-grenouille – heu, pas encore, mais ça ne va pas tarder. Moi, je n'aime les sandwiches à l'œuf que si je les mange avec des chips au fromage et à l'oignon, pour masquer le goût de l'œuf. Alors, je suis allée chercher un paquet dans mon armoire à chips, mais il n'y en avait plus un seul !

– Kechketufais ? m'a demandé Wanda en crachant des bouts d'œuf partout sur la table.

– Ne crache pas de l'œuf partout sur la table, chérie, a dit Brenda.

– Je cherche mes chips, ai-je répliqué d'un ton glacial.

– Oh, elles ne sont pas là, a affirmé Wanda, qui aime bien m'asséner ce qu'oncle Drac appelle des lapalissades[1].

– Tu les as encore données à Choumi-

1- Une vérité tellement évidente qu'elle en devient ridicule. Par exemple : « Ce qui est petit n'est pas grand. »

nou, hein ? lui ai-je demandé.

– Wanda, tu sais où est Chouminou ? a lancé Brenda d'un air vaguement soupçonneux.

– Pas du tout, s'est défendue Wanda. Araminta raconte n'importe quoi, comme d'habitude.

– Même pas vrai, ai-je riposté.

– Si, c'est vrai.

– Non, c'est pas vrai.

– Allons, allons, est intervenue Brenda. Arrêtez de vous disputer, s'il vous plaît. Oh, miséricorde !

Un coup de tonnerre fracassant a secoué la maison. Toutes les lumières se sont éteintes et un téléphone fantôme s'est mis à sonner et sonner sans s'arrêter.

Brenda et Wanda ont plongé sous la table.

Moi, non. Je ne plonge pas sous les tables.

– Je monte, ai-je annoncé. Je vais regarder l'orage d'en haut.

À mi-chemin du grand escalier qui mène à l'étage, je suis tombée sur messire Horace, qui se tenait sur le palier. Messire Horace est mon fantôme préféré de tous les fantômes. On en a un autre, mais je ne le trouve pas très rigolo, même si Wanda l'aime bien. Il s'appelle Edmond et il vit dans le passage secret derrière la chaufferie. Messire Horace, lui, est génial. Il vit dans une vieille armure et il erre un peu partout dans la maison. Il n'est pas très doué pour monter les escaliers, et il oublie souvent qu'il lui faut des jours pour arriver en haut – même si des fois, par erreur, il va super vite.

Je me suis arrêtée à côté de messire Horace, j'ai tapoté doucement sur son armure et j'ai dit :

– Vous êtes réveillé ?

Messire Horace passe beaucoup de temps à somnoler, et il vaut mieux ne pas le surprendre quand il dort. Souvent, il se réveille en sursaut et ça fait tomber des bouts de son armure. Et la dernière chose qu'on veuille, c'est que des bouts d'armure de messire Horace dévalent les escaliers. La semaine dernière, alors qu'il ne lui restait que deux marches à monter, le ressort qui fait tenir son genou gauche a sauté, sa jambe s'est détachée et il a dégringolé jusqu'en bas. Ce n'était pas du tout ma faute, je passais juste là par hasard, mais personne ne m'a crue. J'ai passé le reste de la journée à assembler messire Horace.

– Je vous souhaite une bonne matinée, miss Spookie, a-t-il tonné de sa voix de stentor.

– Ce n'est plus le matin, messire Horace, ai-je rectifié. C'est presque l'heure du dîner.

– Ah, vraiment ? Comme le temps file lorsqu'on monte un escalier.

J'ai demandé très vite, parce qu'il a tendance à radoter et qu'on a intérêt à se dépêcher pour placer ce qu'on a à dire :

– Messire Horace, vous n'auriez pas vu un loup-garou par ici ?

Un deuxième coup de tonnerre a éclaté. La lumière est revenue, elle a clignoté et s'est éteinte de nouveau.

– Un loup quoi ?

– Un loup-garou.

– « Où » ? Ah, en effet, telle est la question, miss Spookie. Où trouve-t-on des loups de nos jours ? De mon temps, ils hurlaient aux portes des châteaux par les froides nuits d'hiver. Un bruit horrible. À vous glacer le sang.

– Houlà. Vraiment, messire Horace ?

– Oui, absolument, miss Spookie. Ah, c'était la belle époque. Savez-vous qu'un jour j'ai trouvé un louveteau abandonné ?

– Vraiment, messire Horace ?

Voilà qui devenait intéressant.

– Mais oui, miss Spookie. Il s'était blessé à une patte et il avait été abandonné par sa meute. Je l'ai amené chez moi et je l'ai soigné. Un merveilleux compagnon…

Messire Horace a soupiré, comme toujours quand il évoque le temps passé, qui dans son cas est passé depuis très très longtemps.

– Enfin… a-t-il dit. Je dois me remettre en route.

Il a brusquement lancé un pied en avant pour le poser sur la marche supérieure. Il avait l'air extrêmement chancelant.

– Voulez-vous que je vous aide, messire Horace ?

– Je vous en serais très reconnaissant, miss Spookie, a-t-il répondu avec un sourire dans la voix.

Je lui ai pris le bras droit – en faisant très attention – et on est arrivés en haut de l'escalier en un rien de temps.

– Par ici, je vous prie, miss Spookie, a repris messire Horace.

Je l'ai accompagné jusqu'à la petite porte secrète cachée sous l'escalier du grenier.

Maintenant, je savais où il allait : dans sa chambre secrète. Je l'ai aidé à ouvrir la porte, j'ai attendu qu'il se soit glissé à l'intérieur et j'ai refermé la porte derrière lui. J'écoutais ses pas s'éloigner dans le passage secret qui longe les lambris du couloir, quand un violent coup de tonnerre m'a rappelé que j'avais un rendez-vous urgent avec l'orage.

J'ai remonté le couloir en courant, franchi deux rideaux moisis, dépassé la salle de bains-avec-un-fantôme-dans-la-baignoire. J'ai foncé dans le passage en zigzag, sauté par la trappe qui ne mène nulle part, grimpé sur la vieille échelle et je me suis hissée sur la plate-forme. J'étais devant la vieille porte de la tourelle hantée. J'ai tourné la clé dans la serrure et je suis entrée.

3
L'orage

Il y a plein de tourelles dans la Maison aux Revenants, mais la mieux pour observer un orage, c'est la tourelle hantée. Elle n'est pas hantée pour de vrai. En tout cas, moi, je n'y ai jamais vu un seul fantôme, et pourtant, j'ai pris le temps de chercher. Mais c'est la plus grande. Elle est tellement haute qu'on a l'impression d'être au milieu de l'orage. C'est génial.

Après avoir ouvert la petite porte qui fait un drôle de grincement, quelque chose comme « Iiih-aaaah…ooooh », on monte quelques marches branlantes couvertes de toiles d'araignées, mais il ne faut pas mettre le pied sur la troisième ni sur la septième, qui sont pourries à cause des vers qui vivent dedans. L'escalier prend deux tournants et devient de plus en plus sombre et de plus en plus raide. Tout en haut, il y a un vieux rideau en velours poussiéreux habité par des mites féroces, qui détestent qu'on les dérange et qui vous foncent dessus en piqué. Donc, on a intérêt à se faufiler derrière le rideau très lentement et très prudemment. Une fois qu'on est dans la tourelle, il faut marcher sur les bords, parce qu'il y a un grand trou au milieu du plancher depuis qu'une baignoire est passée au travers. Avant, tante Tabby stockait plein de vieilles baignoires dans la tourelle, mais après ça, elle a demandé à Barry de l'aider à les déménager.

Bref, en faisant précautionneusement le tour de la tourelle, j'ai vu un super éclair. Je me suis arrêtée et j'ai eu le temps de compter jusqu'à dix avant que le coup de tonnerre éclate. Ça voulait dire que la foudre était tombée tout près. « Super, ai-je pensé. J'arrive juste à temps. » J'ai grimpé sur une vieille caisse pour voir dehors, parce que la fenêtre est très haute. Elle est très sale, aussi. Tante Tabby ne nettoie jamais les fenêtres, parce que ça laisse entrer la lumière. Pour elle, une maison agréable est une maison sombre. C'est pour ça qu'elle repeint tout en marron. Je pense que même moi, elle me peindrait en marron si je me tenais tranquille assez longtemps.

J'ai frotté un coin de la vitre pour voir et j'ai regardé dehors. Ce n'était même pas l'heure du dîner et il faisait déjà presque noir. Le ciel était couvert de gros nuages gris et il tombait quelques gouttes de pluie. C'était parfait ; ça donnait vraiment la chair de poule.

J'ai aperçu les phares d'une voiture au loin, tout brouillés par la pluie et la crasse sur le carreau. Je les ai suivis des yeux en pensant qu'ils allaient continuer sur la grand-route, mais, surprise, la voiture a pris l'allée qui longe la Maison aux Revenants. Je me suis demandé où elle allait – on ne voit plus passer beaucoup de voitures depuis que tante Tabby a mis une pancarte qui dit DANGER, TERRAIN MINÉ. Quand la voiture s'est rapprochée, j'ai vu qu'elle roulait super lentement, comme si les gens cherchaient quelque chose, puis elle s'est arrêtée… pile devant notre portail.

À ce moment précis, on a entendu un énorme *craaac*. Un éclair blanc fantastique a zébré le ciel avant de tomber en plein sur la voiture. C'était sidérant. Une flamme bleue a tourné autour à toute vitesse, et j'ai retenu mon souffle en attendant qu'elle explose. J'ai été très déçue : il ne s'est rien passé du tout. Pas la plus petite explosion. Il s'est juste mis à pleuvoir à seaux, et la voiture n'a même pas grésillé. C'était une drôle de voiture, très longue. J'en avais déjà vu dans ce genre-là, mais je ne me souvenais pas où. Mon haleine formait de la buée sur la vitre et j'ai encore dû frotter, ce qui m'a permis de mieux voir. La voiture arrêtée devant la Maison aux Revenants était un corbillard ! Avec un cercueil à l'intérieur !

J'aurais voulu avoir le télescope de Wanda. Je distinguais trois personnes à l'arrière avec le cercueil : une fille presque adulte, un petit gamin et une vieille dame. Le chauffeur était tout seul à l'avant ; il portait un chapeau haut de forme et il avait un visage tout blanc, qu'on voyait presque luire derrière la vitre.

Tout le temps où j'observais le corbillard,

le tonnerre continuait à gronder dans le ciel, et au loin, des éclairs zébraient le ciel à travers les nuages. Il pleuvait de plus en plus fort, l'eau entrait par les boiseries pourries de la fenêtre et dégoulinait sur mes chaussettes. J'ai encore essuyé le carreau avec ma manche, et quand j'ai regardé de nouveau, le chauffeur au visage tout blanc était sorti de la voiture. Il a ouvert un énorme parapluie noir et tenu la portière pour la vieille dame. Elle est sortie du corbillard en faisant très attention, suivie du petit gamin et de la fille presque adulte.

Même si je ne voulais plus être détective, puisque j'avais décidé de devenir chasseuse de loups-garous, je continuais à aiguiser mes talents de détective quand l'occasion se présentait. J'ai déduit que les passagers du corbillard allaient à un enterrement. C'était sûr, parce que s'ils avaient été en train de revenir d'un enterrement, il n'y aurait plus eu de cercueil. Et c'était sûr qu'ils allaient à un enterrement et pas juste en promenade avec un cercueil en plein orage, parce qu'ils étaient habillés en noir et qu'ils portaient des chapeaux. La vieille dame avait le visage couvert d'une voilette et le petit gamin portait une drôle de casquette. J'ai regardé la fille presque adulte sortir du corbillard. Elle avait un chapeau noir perché en arrière sur sa tête et une robe noire qui tombait presque jusqu'au sol, le genre que je porterais bien quand je serai adulte.

Elle a soulevé le bas de sa robe, à cause d'une énorme flaque qui traîne toujours devant notre portail quand il pleut, et elle a commencé à remonter le chemin sur la pointe des pieds sous le grand parapluie avec la vieille dame, tandis que le petit gamin suivait derrière, avec l'air de quelqu'un qui n'a aucune envie d'être là.

Un éclair a illuminé le ciel violacé, et il y a eu un brusque coup de tonnerre au-dessus de la maison. Loin, tout en bas, j'ai entendu sonner à la porte.

4

Le gang du corbillard

J'ai atteint la porte d'entrée en même temps que tante Tabby ; en fait, je lui ai même foncé dedans alors qu'elle revenait de l'espèce de dôme qui donne sur le toit. Elle était trempée et de mauvaise humeur. On a fait la course jusqu'au rez-de-chaussée et on est arrivées ex æquo, mais comme tante Tabby a les bras plus longs, elle a touché la porte avant moi. Aucun signe de Brenda, qui bat généralement tante Tabby à la course pour ouvrir la porte. J'ai supposé qu'elle avait dû rester cachée sous la table avec Wanda la geignarde.

Tante Tabby a ouvert bien grand la vieille porte d'entrée de la Maison aux Revenants et elle a un peu pâli. Elle a ouvert la bouche, mais aucun son n'en est sorti. Ça ne ressemble pas du tout à tante Tabby, qui a toujours quelque chose à dire, même quand on voudrait qu'elle se taise.

Les inconnus du gang du corbillard restaient plantés tous les quatre sous la pluie, à nous fixer, tante Tabby et moi, sans sourire ni parler. Ils étaient mortellement pâles, avec des petits yeux étroits dont le regard vous transperçait et ressortait derrière votre dos. J'avais l'impression d'être une des marches pleines de petits trous de l'escalier de la tourelle. Ça faisait bizarre.

Tante Tabby a émis un bruit entre le toussotement et le croassement, qui pouvait vouloir dire n'importe quoi. Dans le gang du corbillard, personne n'a répondu. Une drôle de lumière jaune provenait des éclairs lointains, et la pluie tombait de plus belle. Elle dégoulinait sur leurs visages et gouttait au bout de leur nez. Soudain, tante Tabby s'est réveillée. Elle s'est secouée et s'est mise à hurler d'une voix affolée :

– Drac ! Drac ! Ta mère est là !

Ah bon ?! Je ne me serais jamais doutée qu'oncle Drac avait une mère !

J'ai trouvé que tante Tabby n'était pas très polie, elle qui dit toujours qu'on ne doit pas hurler pour appeler quelqu'un mais qu'on doit aller le chercher et « lui parler gentiment, Araminta ». En plus, elle n'avait même pas proposé aux visiteurs d'entrer, alors qu'il y avait sa belle-mère. J'ai décidé de lui montrer l'exemple.

– Bonjour, ai-je déclaré, puisque je ne connaissais pas son nom. Bienvenue dans la Maison aux Revenants. Veuillez entrer.

J'ai marché sur les orteils de tante Tabby, qui a glapi. Mais j'avais dû dire ce qu'il fallait, parce que la vieille dame est entrée dans la maison. Elle était terrifiante ; mais ce qui l'était encore plus, c'était le furet à deux têtes qu'elle portait autour du cou, et qui m'a fixée de ses quatre yeux quand elle est passée devant moi. Le chauffeur a secoué le parapluie, l'a rangé soigneusement dans le porte-parapluie géant qui se trouvait près de la porte, et il est retourné à la voiture.

Le petit gamin, qui avait l'air d'un rat noyé, est entré derrière, suivi de la fille presque adulte. Elle avait des chaussettes en dentelle noire et de jolies bottines noires. Je lui ai souri et elle m'a retourné une sorte de demi-sourire – à ce qu'il m'a semblé. Ils se tenaient à la queue leu leu dans l'entrée, sans rien dire. La seule chose qu'on entendait, c'était les gouttes d'eau qui tombaient par terre.

Il y a eu un nouveau coup de tonnerre et la porte d'entrée s'est refermée en claquant. *Blam !* Tante Tabby et moi, on a fait un bond d'un mètre.

C'est là que la mère de Drac a parlé.

– Eh bien, Tabitha, a-t-elle déclaré d'une voix grinçante, ainsi, nous nous revoyons.

À l'entendre, ça n'avait pas l'air de l'enchanter.

Tante Tabby a avalé sa salive, comme font les grenouilles de Barry, et m'a sifflé à l'oreille :

– Mais où est Drac ? Va le chercher, Araminta ! Vite !

Je n'avais pas très envie d'y aller, parce que j'étais vraiment très intriguée par cette nouvelle famille, mais je voyais que tante Tabby avait besoin d'aide d'urgence. J'ai monté le grand escalier quatre à quatre et foncé dans le couloir de l'étage jusqu'à la petite porte rouge qui donne sur la tourelle d'oncle Drac.

Comme il n'aime pas beaucoup la lumière, oncle Drac a l'habitude de dormir pendant la journée. À l'opposé de la tourelle hantée, il y a une super grande tourelle – là où vivent ses chauves-souris. Tante Tabby essaie de le convaincre de se débarrasser de toutes ses chauves-souris, parce que Barry ne vend pas assez de caca et qu'il s'entasse au bas de la tourelle. Mais oncle Drac adore ses chauves-souris. Le mois dernier, tante Tabby lui a demandé de choisir entre elle et les chauves-souris, mais oncle Drac a mis tant de temps à essayer de se décider qu'elle a préféré oublier ce qu'elle avait dit et que les chauves-souris sont restées – et elle aussi.

J'aime bien aller voir oncle Drac dans sa tourelle, surtout qu'en principe je n'ai pas le droit, parce que c'est dangereux. Il n'y a pas de plancher ; oncle Drac l'a enlevé pour que ses chauves-souris puissent voler autant qu'elles veulent et s'imaginer qu'elles vivent dans une grande grotte.

Prudemment, j'ai ouvert la petite porte rouge et jeté un coup d'œil à l'intérieur. Oncle Drac dormait à poings fermés dans son grand sac de couchage à fleurs. Vous vous demandez peut-être où il met son sac de couchage puisqu'il n'y a pas de plancher. À moins que vous n'ayez deviné : il le suspend à une poutre et il dort dedans comme une chauve-souris géante, mais avec la tête à l'endroit.

– Hou-houou... ai-je appelé tout doucement.

Ce n'est pas une bonne idée de réveiller brutalement oncle Drac, parce qu'il risque de tomber de son sac de couchage s'il a un choc. C'est déjà arrivé, la fois où Big Bat, le gros pépé chauve-souris, est tombé sur la tête. Oncle Drac s'est cassé les deux jambes,

mais il est guéri, maintenant.

– Houhou… ai-je appelé de nouveau. Réveille-toi, oncle Drac.

Il a bougé.

– Keskia, Minty ? a-t-il marmonné.

– Ta mère est là, oncle Drac.

– Quoi ?!

Oncle Drac a ouvert les yeux d'un coup et, de surprise, il a failli sauter hors de son sac de couchage.

– Attention ! me suis-je écriée.

Oncle Drac est retombé dans son sac en gémissant. Tout allait bien.

– Maman… ici ?

– Oui, elle est venue te voir. C'est gentil, non ?

– Gentil ? a répété oncle Drac, hébété.

Puis il a ajouté d'un ton carrément inquiet :

– Oh, mon Dieu, où est Tabby ?

– Elle est en bas, oncle Drac.

– Avec ma mère ?!

– Oui.

Avant que j'aie eu le temps de refermer la bouche, il avait bondi de son sac de couchage, s'était hissé sur la poutre, l'avait parcourue comme un funambule jusqu'à la porte et s'était glissé dehors.

– Viens, Minty, a-t-il dit en m'attrapant par la main. On ne peut pas laisser Tabby seule avec ma mère une minute de plus.

On a dévalé l'escalier jusqu'à l'entrée.

Elle était vide. Il ne restait plus qu'une grande flaque d'eau par terre.

De mieux en mieux ! Tout le monde s'était volatilisé.

5
Max Drac

Grosse déception : en fait, personne ne s'était volatilisé. On a trouvé tout le monde installé autour de la grande table de la troisième cuisine-à-droite-après-le-tournant-derrière-la-chaufferie. Brenda et Wanda avaient fini par sortir de dessous la table et Wanda versait de l'eau dans la plus grosse bouilloire de sa mère – qui doit faire la taille d'un seau.

Toute la cuisine sentait la laine mouillée ; de la vapeur s'élevait de la mère d'oncle

Drac, du drôle de petit gamin et de la fille presque adulte, dont les épais vêtements noirs étaient en train de sécher. Personne ne disait un mot. Tante Tabby trônait au bout de la table avec un air furieux, tandis que la mère d'oncle Drac était occupée à la lorgner, de la même manière que tante Tabby me lorgne quelquefois.

De près, j'ai vu que sur un million de personnes, on ne pouvait pas confondre la mère d'oncle Drac avec qui que ce soit. Ils se ressemblaient comme deux gouttes d'eau. Le même visage pâle, rond, et les mêmes dents brillantes et pointues qui dépassaient

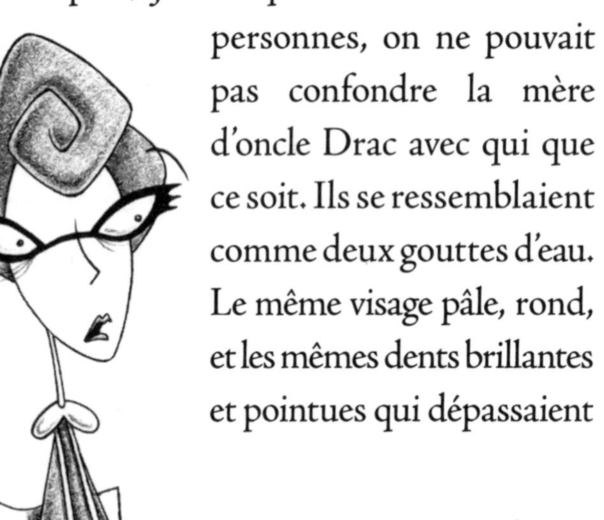

aux coins de la bouche ; mais elle n'avait pas son sourire. Elle avait un regard mauvais. Et le furet à deux têtes aussi.

La fille presque adulte avait l'air très intéressante. Elle avait de longs cheveux bruns avec des rubans noirs tressés dedans, et j'aimais beaucoup son petit chapeau noir avec plein de dentelle et de plumes noires partout. Il m'a semblé voir aussi une souris empaillée dessus, mais je n'étais pas sûre et je n'ai pas voulu regarder de manière trop insistante. La fille presque adulte ne devait pas être du genre à apprécier tellement ça.

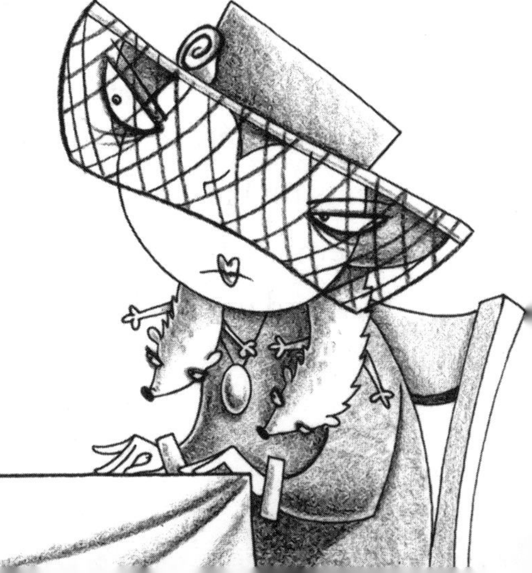

Le petit gamin était très bizarre. Il était rondouillard, pâle comme s'il n'était jamais jamais sorti au soleil et il louchait. On voyait encore les marques du peigne dans ses cheveux noirs brillants, coiffés en arrière. Il portait une veste boutonnée jusqu'en haut, un col blanc amidonné et une cravate. Il mâchonnait un bonbon en balançant ses petites jambes, assis sur *ma* chaise. J'ai vu qu'il avait un gros paquet de bonbons dans chaque poche, mais il n'avait pas l'air disposé à nous en proposer, à Wanda et moi.

Je lui ai décoché mon Regard de Grenouille Féroce, mais il m'a fixé en retour sans un battement de paupières. C'était la première fois que ça m'arrivait.

Soudain, oncle Drac a brisé le silence :

– Bonjour, maman. Tu te souviens d'Araminta ?

Puis il s'est tourné vers moi.

– Minty, je te présente ta grand-tante Émilène.

J'ai souri, et j'allais dire bonjour quand la grand-tante Émilène a ricané comme un chameau.

– Je me souviens très bien d'Araminta, a-t-elle répliqué. Drôle de petite morveuse.

D'accord. Elle aussi a eu droit au Regard de Grenouille Féroce, et la fille presque adulte a presque souri.

– Et voici tes cousins Mathilda et Maximilien, a ajouté oncle Drac.

Je l'avais déjà entendu parler d'eux, mais je ne les avais jamais rencontrés.

– Bonjour, ai-je dit.

En guise de réponse, Mathilda a eu un sourire mystérieux et Maximilien a fourré un autre bonbon dans sa bouche sans s'arrêter de mâchonner. J'étais vraiment contente que la fille presque adulte soit ma cousine, mais j'aurais pu me passer du petit gamin.

Grand-tante Émilène a refait son imitation de chameau et lancé d'une voix forte :

– Eh bien, Drac, tu n'as pas l'air en forme. Je vois que Tabitha ne te nourrit pas correctement.

– Oh... euh...

Oncle Drac avait l'air de ne pas savoir quoi répondre et tante Tabby n'a rien dit du tout, ce qui m'a étonnée.

– Je n'ai pas reçu de réponse à ma lettre, Drac, a poursuivi sa mère d'un ton pincé.

Oncle Drac a cligné des paupières.

– Quelle lettre ?

– Inutile de chercher des excuses, Drac. Je disais donc, je n'ai pas reçu de réponse à ma lettre, mais je suis venue quand même. Les parents de Maximilien ont été appelés sur une mission urgente. Tu es sûrement au courant que leur affaire de chasse aux fantômes a beaucoup prospéré. Bien plus que la vente de caca de chauve-souris, je présume.

Elle a reniflé bruyamment, et oncle Drac a eu l'air contrarié. Mais elle s'en fichait ; elle a continué, de sa voix qui crissait comme une craie sur une ardoise :

– Donc, Drac, comme je l'explique dans ma lettre, Mathilda reprend ses cours au lycée et je me suis inscrite à une croisière que je n'ai aucune intention de manquer.

La malle de Maximilien est dans la voiture. Tu peux aider Perkins à la porter, et nous repartons.

Au mot « repartir », j'ai vu un léger sourire éclairer le visage de tante Tabby, mais on aurait dit qu'oncle Drac avait reçu un coup sur la tête.

– La malle ? a-t-il répété.

Sa mère a soupiré, comme tante Tabby quand ce que je dis ne lui plaît pas.

– Va aider Perkins à la porter, tu veux bien, Drac ? a-t-elle insisté.

Pile à ce moment-là, Brenda a posé la bouilloire sur la table, si brusquement que tout le monde a sursauté, même les tasses.

– Oups, désolée. Quelle maladroite je fais ! a pépié nerveusement Brenda.

Elle a entrepris de verser le thé et je suis allée m'asseoir en bout de table. Wanda est venue s'asseoir à côté de moi et s'est penchée pour me glisser à l'oreille :

– C'est chouette que Maximilien s'installe ici avec nous, hein, Araminta ? Je lui ai dit qu'il pouvait prendre notre chambre du samedi.

J'ai suffoqué.

– Quoi ?

La chambre du samedi est notre chambre préférée.

– Ça va être super ! a repris Wanda. On n'aura qu'à dormir dans notre chambre du vendredi le samedi aussi. Ce sera vachement excitant !

Visiblement, elle n'avait pas remarqué que je ne trouvais pas ça super du tout.

Wanda et moi n'avons pas la même idée de ce qui est excitant.

J'ai regardé tante Tabby : elle avait sûrement quelque chose à dire là-dessus. Mais elle a continué à se taire. Elle restait assise là comme un poisson rouge dont on vient de vider le bocal.

– Euh… la malle, a marmonné oncle Drac. Je, euh, je ferais mieux d'aller la chercher.

Il a avalé son thé et s'est levé. Les pieds de sa chaise ont raclé par terre avec un grincement horrible, mais ça ne m'a pas gênée, parce que c'était toujours mieux que d'entendre les *slurp* de grand-tante Émilène qui siphonnait son thé comme un aspirateur.

Il n'était pas question que je reste dans cette cuisine avec Wanda Sorcel qui faisait de grands sourires au petit gamin comme s'il était son nouveau meilleur ami. Du coup, j'ai proposé :

– Je vais t'aider, oncle Drac.

– C'est vrai, Minty ?

Oncle Drac a eu l'air content. Il m'a prise par la main et on est sortis en flèche de la cuisine, comme si on était poursuivis par une meute de loups-garous. Mon rêve, une meute de loups-garous.

Dehors, il tombait des cordes et le tonnerre grondait toujours, c'était chouette. Perkins dormait sur le siège du conducteur.

Il ronflait comme une locomotive, la bouche grande ouverte. Oncle Drac a cogné contre la vitre, mais avec ses ronflements de coups de tonnerre, Perkins ne risquait pas d'entendre quoi que ce soit.

– Il faut que tu tapes super fort, ai-je conseillé à oncle Drac, qui est plutôt timide et préfère laisser tous les trucs qui font du bruit à tante Tabby.

Il ne se décidait pas, alors j'ai tambouriné contre la vitre, en faisant ma grimace de Grenouille à Grande Bouche qui Louche à travers le carreau embué.

Ça a marché. Perkins a sursauté comme si une bestiole l'avait mordu et son chapeau haut de forme s'est écrasé contre le plafond de la voiture. Puis il est retombé sur son siège, il a baissé sa vitre et il a dit :

– Ouiiii ?

Il avait une voix grave sinistre, qui aurait totalement paniqué Wanda ; mais à moi, ça ne m'a rien fait du tout.

Oncle Drac a toussoté.

– Bonjour, on vient chercher la malle de Maximilien.

Perkins – qui, de près, ressemblait à un squelette – a ouvert sa portière en manquant nous renverser.

Un instant plus tard, il avait soulevé le hayon du corbillard et tirait sur le cercueil.

– Un peu d'aide serait la bienvenue, a-t-il déclaré de sa voix sinistre.

Oncle Drac et moi, on s'est regardés. Qui pouvait bien se trouver dans ce cercueil ? Et pourquoi voulait-on l'enterrer dans la Maison aux Revenants ?

– Pas le… cercueil, a dit oncle Drac. La malle de Maximilien.

Perkins l'a regardé comme s'il était complètement idiot.

– *C'est* la malle de Maximilien.

Oncle Drac et moi, on a monté le cercueil sur les marches effritées du perron, pendant que Perkins le squelette nous observait derrière sa vitre em-

buée, au chaud et au sec dans sa jolie voiture. On a franchi la porte d'entrée tant bien que mal et lâché le cercueil par terre avec un grand *plonk,* qui a secoué toute la maison et fait accourir tante Tabby au pas de charge.

– Qu'est-ce que c'est que ça ?! a-t-elle demandé en fixant le cercueil.

– La malle, a soufflé oncle Drac, hors d'haleine. Je l'ai apportée avec Minty.

Il s'est assis dessus pour essuyer son visage trempé.

Comme c'était la première fois que je voyais tante Tabby prendre un air de cheval interloqué, j'étais curieuse d'entendre ce qu'elle allait dire. Mais elle a juste henni en faisant rouler ses yeux, comme si on était tombés à court d'avoine.

Là-dessus, Wanda est arrivée. Et elle tenait Maximilien par la main !!

Il trottait à côté d'elle et ses petites jambes, encore plus petites que celles de Wanda – si c'est possible – avaient bien du mal à la suivre. Elle l'a tracté dans l'entrée et l'a entraîné dans le grand escalier plein de toiles d'araignées.

– Allez, Max, a dit Wanda, du ton qu'elle prend pour persuader une des grenouilles de Barry d'exécuter un tour difficile. Je vais te montrer ta chambre. On l'appelle la chambre du samedi et elle est géniale. Je dois la partager avec Araminta, mais toi, tu peux l'avoir pour toi tout seul.

Max n'avait pas l'air emballé. Il n'arrêtait pas de me fixer, et plus Wanda le tirait, plus il restait en arrière. Je le comprenais :

qui voudrait être embarqué où que ce soit par Wanda Sorcel ? Mais elle continuait à tirer.

– Ne fais pas attention à Araminta. Elle passe son temps à faire des grimaces, lui a-t-elle dit bien fort en me regardant en face. Si elle ne se méfie pas, il va y avoir un courant d'air et elle va rester coincée avec cette tête-là. Remarque, pour ce que ça changerait...

Puis elle a donné une grosse secousse sur le bras de Max, qui a cédé, et ils ont disparu dans l'escalier.

Et devinez qui a dû monter la malle jusqu'à la chambre du samedi ? Eh oui, oncle Drac et moi. Évidemment, elle ne tenait pas sur l'échelle de corde et ne rentrait pas par la petite porte du haut. Du coup, j'ai laissé Wanda passer le reste de l'après-midi à monter et descendre l'échelle avec les affaires de Max. C'était pour son bien, parce qu'elle a un peu grossi ces derniers temps.

Pendant que Wanda montait et descendait l'échelle, j'en ai profité pour réfléchir. Je m'étais demandé comment Chouminou arrivait encore à piquer mes chips au fromage et à l'oignon alors qu'il avait disparu. Mais en y pensant, c'était évident. Ce n'était pas Chouminou qui les mangeait. C'était le *loup-garou*.

Alors, si je voulais remanger un jour des chips au fromage et à l'oignon, j'avais du boulot. Et en numéro un sur ma liste, je devais constituer un Nécessaire à Piéger les Loups-Garous.

Le nouveau meilleur ami de Wanda

L'ennui avec un nécessaire à piège, c'est qu'en le préparant on risque de se faire soi-même piéger par quelqu'un. C'est ce qui m'est arrivé : Barry m'a fait porter ses sacs de caca de chauve-souris jusqu'au portail. Je ne comprends pas ce qui pousse les gens à acheter du caca de chauve-souris. Barry dit que c'est grâce à la publicité stratégique ; c'est comme ça qu'il appelle l'étiquette qu'il colle sur les sacs et qui indique :

Quand j'ai demandé à Barry comment il savait que les chauves-souris étaient heureuses, il m'a répondu qu'il ne les avait jamais entendues se plaindre, et qu'il n'avait pas besoin de preuve supplémentaire.

La pluie s'était arrêtée pendant qu'on traînait les sacs dehors, mais alors qu'on calait le dernier contre la haie, un coup de tonnerre a éclaté brusquement et la porte d'entrée s'est ouverte d'un coup. Émilène se tenait en haut des marches, Mathilda à côté d'elle. Je voyais tante Tabby juste derrière, qui gigotait à gauche et à droite comme un gardien de but pour bloquer le passage, au cas où Émilène déciderait de faire demi-tour.

– Au revoir, belle-maman, a dit tante Tabby sur le ton méga poli qu'elle prend quand elle dit exactement le contraire de ce qu'elle pense. Votre visite nous a fait tellement plaisir ! Revenez nous voir, surtout ! Et ne vous inquiétez pas pour Maximilien, son petit problème ne nous gêne absolument pas. Après tout, ha ha, on a déjà Araminta.

Encore une chance qu'Émilène n'ait pas eu l'air de trouver ça drôle. Elle a fusillé tante Tabby du regard, puis elle a jeté son furet à deux têtes autour de son cou, si vite que j'ai pu entendre les petits yeux de verre s'entrechoquer tandis qu'elle descendait du perron en titubant. Mathilda l'a suivie et Perkins a bondi hors de la voiture pour leur ouvrir la portière. Et ils sont partis.

J'étais triste que Mathilda s'en aille. Ça ne m'aurait pas du tout dérangée, qu'elle reste. Quand le corbillard est passé lentement devant Barry et moi, grand-tante Émilène a regardé droit devant elle comme une statue, mais Mathilda s'est tournée pour nous faire signe. Un petit signe. Je lui ai répondu.

Ils n'étaient pas allés loin quand le corbillard s'est arrêté, avant de revenir en marche arrière dans l'allée. Tante Tabby a senti le coup venir. Elle a claqué la porte, et je suis sûre que je l'ai entendue tirer le verrou et mettre la chaîne de sécurité.

« Chouette, ai-je pensé. Mathilda a changé d'avis et elle va rester aussi. » Mais c'est Perkins qui est ressorti. Il n'a pas dit un mot. Il a mis de l'argent pour le caca de chauve-souris dans la boîte, chargé tous les sacs de caca à l'arrière à la place du cercueil, refermé le hayon d'un coup sec, et ils sont repartis sur les chapeaux de roue.

– Publicité stratégique, a commenté Barry d'un ton satisfait. Ça marche à tous les coups.

Maintenant qu'il avait vendu du caca, il était de bonne humeur. J'en ai profité pour lui demander :

– Barry, aurais-tu croisé des loups-garous par ici ?

– Des loups-garous ? Euh, non. Bien que l'an dernier…

– Tu en as trouvé un l'an dernier ?

– … j'aie vu un super bon film là-dessus, a-t-il complété.

– Oh. Mais rien en dessous des sacs de caca de chauve-souris, alors ? Ou qui se glisse furtivement derrière toi dans les couloirs du sous-sol ?

– Non, a dit Barry, parce que les loups-garous n'existent que dans les histoires. Bon, Araminta, je vais remplir tout de suite de nouveaux sacs de caca de chauve-souris. C'est mauvais pour les affaires d'être à court de stocks, c'est comme ça qu'on perd des clients potentiels. Tu veux venir m'aider ?

– Non merci, Barry, ai-je répondu poliment, vu qu'il faisait des efforts pour être gentil.

J'aurais voulu lui poser d'autres questions

sur les loups-garous – par exemple, quelle autre créature, selon lui, pourrait bien traîner au sous-sol en me fixant avec d'horribles yeux luisants, gronder et manger toutes mes chips au fromage et à l'oignon –, mais j'ai laissé tomber. Le mieux était que je monte mon Nécessaire à Piéger les Loups-Garous et que je piège le loup-garou, et là, ils seraient tous forcés de me croire.

Ça m'a occupée tous les jours suivants. Et ça tombait bien, que j'aie quelque chose à faire, parce que ma meilleure amie, Wanda Sorcel, n'était plus ma meilleure amie. En fait, elle était plutôt ma meilleure ennemie, et je crois même qu'elle me hantait : je tombais sur elle partout où j'allais. Et partout où elle était, il y avait Max Spookie, qui la suivait comme un caniche. Berk. Clairement, Wanda n'a aucun goût en matière d'amis. À part avec moi, bien entendu. Ce qui, comme dirait oncle Drac, est l'exception qui confirme la règle.

D'abord, je les ai trouvés dans la salle de bains-avec-un-fantôme-dans-la-baignoire, où Wanda laissait Max jouer avec sa souris acrobate, que je n'ai jamais eu le droit de toucher. Ils avaient créé tout un cirque de souris dans la baignoire hantée, ça avait l'air sympa.

Plus tard, je suis tombée sur eux dans le long couloir qui mène à la porte de derrière ; Wanda laissait Max essayer son nouveau vélo, dont elle ne me laisse pas approcher. Il n'arrêtait pas de tomber et on voyait bien qu'il ne savait même pas en faire. Et quand elle m'a vue, Wanda m'a-t-elle proposé : « Oh ! salut, Araminta, voudrais-tu faire un tour sur mon nouveau vélo ? »

Eh non.

Au lieu de ça, elle m'a dit :

– Oh ! salut, Araminta, Max peut t'emprunter tes rollers ?

Et elle a pris un air outré quand j'ai rétorqué :

– Tu peux courir.

Max m'a juste regardée bien en face avec un petit sourire satisfait.

– Ne t'inquiète pas, Araminta. Je n'aime pas le roller.

Et quand il a souri, j'ai vu qu'il avait des dents de vampire aux coins de la bouche ! Elles n'étaient pas du tout comme celles d'oncle Drac ; elles étaient vraiment pointues, comme de petites aiguilles ! Tellement pointues, même, qu'on aurait dit des vraies : le genre qui *mord* !

Je ne quittais pas Max des yeux, dans l'espoir de revoir ses dents, mais il a arrêté de sourire pour me tirer la langue. Puis il a pêché un paquet de bonbons de sa poche et il a dit :

– Tu veux des bonbons, Wanda ?

– Oooh, avec plaisir, Max, a fait Wanda.

C'est tellement agréable d'avoir un ami qui vous propose des bonbons au lieu de tout garder pour lui !

Je n'ai pas pris la peine de lui rappeler les nounours. Max ne m'a pas proposé de bonbons, et de toute façon, j'aurais refusé. Il ne faut jamais accepter de bonbons de la part d'un vampire.

Quand Max n'était pas le toutou de Wanda, il était le fayot de tante Tabby.

Cet après-midi-là, tante Tabby a décidé de repeindre les boiseries de l'entrée avec une épaisse peinture marron brillante. C'était casse-pieds, parce que chaque fois que je traversais l'entrée pour rassembler les éléments de mon Nécessaire à Piéger les Loups-Garous, je marchais sur tout un bazar de matériel de peinture.

– Attention aux pots de peinture, Araminta, a aboyé tante Tabby sur mon passage.

– Je ne suis pas passée près des pots de peinture, ai-je répliqué.

– Tu n'as pas besoin de t'en approcher pour qu'ils se mettent à se renverser, Araminta, a-t-elle riposté en écartant ses cheveux de son front avec ses mains pleines de peinture. Apparemment, il suffit qu'ils te voient pour se jeter par terre. Enfin, dis-moi, comment trouves-tu cette couleur ?

– C'est marron, tante Tabby, ai-je dit d'un ton conciliant.

– Oui, mais est-ce que ça te plaît ?

Je n'aime pas le marron. Pas du tout. Mais ça ne m'a pas paru être la bonne chose à dire. Pendant que je réfléchissais à ce que je devrais dire, Max – qui, j'en suis sûre, traînait dans un coin sombre en épiant chacune de nos paroles – est arrivé en trottinant et il a dit :

– J'adore ! Je trouve que c'est la teinte de marron idéale. Tu as un sens de la couleur extraordinaire, tante Tabitha.

Elle a souri comme s'il était la personne la plus fantastique au monde, et Max le fayot a ajouté :

– Puis-je nettoyer tes pinceaux, s'il te plaît, tante Tabitha ? J'adore nettoyer les pinceaux !

Tante Tabby a pris un air béat.

– Quel petit garçon serviable tu es, Max, a-t-elle ronronné.

Puis elle m'a regardée d'un air beaucoup moins béat et m'a dit :

– Tu vois, Araminta, voilà ce que j'appelle

être poli et attentionné.

Je les ai laissés en train de discuter des différentes teintes de marron pour reprendre la préparation de mon Nécessaire à Piéger les Loups-Garous. Et en même temps, je réfléchissais aux vampires.

Voici ce que je me disais : il y a deux catégories de vampires. Les gentils, comme oncle Drac, qui font des trucs de vampire du genre éviter la lumière, traîner avec des chauves-souris et avoir de mignonnes petites dents pointues aux bords de leur sourire. Les vampires de cette catégorie-là ne penseraient pas une seconde à vous mordre. Ils viennent simplement d'une famille de vampires, c'est tout. Il y a bien des gens qui trouvent que je ressemble à tante Tabby – n'importe quoi ! –, mais même si c'était vrai, ça ne voudrait pas dire que je me comporte comme elle, pas vrai ? Donc, on peut ressembler à un vampire sans agir comme tel.

Et puis il y a la catégorie des horribles vampires. Ceux-là sont de sales vampires qui mordent et à qui il ne faut pas se fier une seconde. En général, on peut les reconnaître au fait que ce sont de gros fayots. Ils disent des trucs sympas qu'ils ne pensent absolument pas. Ils traînent dans les coins pour écouter les conversations des autres, ils font semblant d'être super serviables et attentionnés pour que les tantes les aiment, ils piquent les meilleures amies des autres et, surtout, ils ont des dents super pointues. Ça ne vous rappelle pas quelqu'un ?

Parfaitement : Max. Max *le Vampire*.

Ça crève les yeux : c'est pour ça que Max est brusquement devenu le meilleur ami de Wanda. Ça n'est pas facile, d'être le meilleur ami de Wanda. J'en sais quelque chose. Mais Max ne cherchait pas vraiment à être son meilleur ami ; il voulait la mordre. Et même si, quelque part, ça serait bien fait pour elle si elle se faisait *mordre,* je ne veux pas sérieusement que ça arrive. Ça ferait d'elle un vampire à son tour, et je trouve que Wanda ne ferait pas un très bon vampire. En plus, elle risquerait de me mordre.

Il fallait agir. Le Nécessaire à Piéger les Loups-Garous allait devenir le Double Nécessaire à Piéger Loups-Garous et Vampires.

7
Le Double Nécessaire à Pièges Spookie

À la fin de la journée, j'avais constitué le meilleur Double Nécessaire Spookie à Piéger Loups-Garous et Vampires du monde.

Il comprenait :

- 1 sachet de biscuits pour chien
- 1 épuisette maxi format
- 1 sac de caca de chauve-souris
- 1 grand bout de corde
- 1 lampe torche

- 1 pelote de ficelle (au cas où je devrais emprunter un passage secret)
- 1 crayon et 1 feuille de papier (au cas où je me ferais prendre au piège et où je devrais écrire un message de SOS)
- 1 paire de lunettes de loup-garou

Je suis sûre qu'on trouve des tas de Doubles Nécessaires à Piéger Loups-Garous et Vampires, mais grâce aux lunettes de loup-garou, le Nécessaire Spookie les bat tous. Je les avais fabriquées à partir d'une vieille paire de lunettes de tante Tabby que j'avais trouvée derrière un fauteuil, et d'yeux en hologrammes découpés dans une de mes cartes d'anniversaire de l'an dernier. La carte était censée représenter un mignon petit lapin avec de mignons petits yeux de lapin. Mais chaque fois qu'on regardait le lapin, ses yeux en hologrammes vous fixaient à leur tour, et on avait l'impression désagréable qu'il vous surveillait en se préparant à vous sauter dessus. Parce que, en vrai, ce n'était pas du tout de mignons yeux de lapin... c'était des yeux de loup-garou ! Quelqu'un à l'usine de cartes s'était trompé d'yeux. J'imagine que quelque part un enfant regardait sa carte de Halloween qui montrait un loup-garou avec de mignons yeux de lapin, en se disant : « Mais ça ne fait pas peur du tout ! En fait, j'en adopterais bien un comme ça ! »

J'avais gardé la carte et, en préparant le Double Nécessaire, j'ai eu l'idée géniale de fabriquer les lunettes. J'ai collé sur les lunettes les yeux en hologrammes de lapinloup-garou et je les ai mises. Je n'y voyais pas grand-chose, parce que les lunettes de tante Tabby rendent tout flou de toute façon et que les yeux masquaient presque tout, mais je me suis dit que dans le noir on pourrait facilement me prendre pour un loup-garou. Et ça pouvait être pratique à la chasse au loup-garou-vampire, surtout qu'à mon avis il y avait des chances pour que Max le Vampire ait peur des loups-garous.

Puis j'ai commencé à élaborer des plans. J'étais dans le couloir du sous-sol, en train de chercher le meilleur endroit où poser mon piège, quand Wanda et Max sont apparus à un tournant. Ils étaient tellement occupés à parler – et à manger des bonbons – qu'ils ne m'ont pas remarquée.

– Viens, Wanda, disait Max, montre-moi la tourelle des chauves-souris. J'adore voir des chauves-souris.

Ça ne me disait rien qui vaille. La tourelle des chauves-souris est l'endroit d'oncle Drac, et les seules personnes autorisées à y entrer sont moi – bien sûr – et Barry, pour ramasser le caca de chauve-souris.

Wanda a trotté vers moi et je me suis

réfugiée dans l'embrasure de la porte du deuxième-garde-manger-à-gauche-juste-après-la-chaufferie. Elle ne m'a pas vue. Max l'a suivie, et tandis que je l'observais, il a pris un deuxième bonbon et mordu dedans avec ses dents pointues, comme s'il s'entraînait pour mordre Wanda. Wanda n'était peut-être pas ma meilleure amie à ce moment-là, mais je devais la sauver. Alors, j'ai bondi pile sous leur nez.

Wanda a poussé un hurlement. Puis, en voyant que c'était moi, elle a eu un air exaspéré.

– Araminta, qu'est-ce que tu fabriques ici ? m'a-t-elle demandé.

– C'est pas tes oignons, ai-je répliqué.

J'aurais pu lui dire que je la sauvais d'une morsure de vampire, mais ce n'était pas la peine que je me fatigue. Je voyais bien qu'elle n'éprouverait aucune reconnaissance.

– Arrête de nous suivre partout, a dit Wanda.

– Je ne vous suis pas, ai-je rectifié. J'ai des choses importantes à faire.

– Si, tu nous suis, a-t-elle insisté. Partout où on va, tu es là à nous épier.

Ses oreilles ont rosi, comme chaque fois qu'elle s'énerve.

– Moi, j'épie ? me suis-je exclamée, outrée. Ce n'est pas moi qui épie. C'est Max le Vamp… c'est Max qui épie.

Max n'a rien dit. Il s'est contenté de piocher un autre bonbon dans son paquet – un horrible truc rouge vif, cette fois – pour le fourrer dans sa bouche. J'ai observé ses dents en me demandant comment

Wanda pouvait ne pas les remarquer. Des fois, je me dis qu'elle a besoin de lunettes.

– Viens, Max, a déclaré Wanda en prenant son petit bras maigre comme une allumette. Nous, on s'en va.

Et elle est repartie, la tête haute, par où ils étaient venus.

J'ai décidé que si Wanda voulait se faire mordre par un sale mioche vampire, moi, ça m'allait très bien. Le plus tôt serait le mieux, même. J'ai repris mes plans. J'ai trouvé un super endroit où poser mon piège et j'ai transporté le Double Nécessaire Spookie à Piéger Loups-Garous et Vampires dans notre chambre.

C'était un samedi, mais on dormait toujours dans la chambre du vendredi puisque Vous-Savez-Qui avait volé notre meilleure chambre de la semaine. Celle du vendredi n'est pas trop mal. Elle a une petite fenêtre cintrée ornée d'un griffon dont messire Horace dit qu'il vient de son château. Elle a aussi un plafond très haut et en pente ; Wanda et moi, on a nos lits sur une mezzanine juste en dessous du plafond, et on y monte par une grande échelle. Si on veut descendre très vite, il y a un poteau de pompier près de mon lit, et Wanda doit me demander la permission très gentiment pour l'emprunter. Cette fois, elle aurait pu me demander aussi gentiment qu'elle voulait, j'aurais dit non.

J'aime bien être toute seule, parce que j'ai l'habitude. Avant que Wanda vive avec nous, je passais beaucoup de temps toute seule, et là, j'avais hâte de m'asseoir sur le banc installé sous la fenêtre du griffon pour lire mon livre sur les loups-garous. J'étais sûre que Wanda serait encore avec Max, mais quand j'ai ouvert la porte, une petite voix de souris m'a dit de tout là-haut :

– Salut, Araminta.

Je n'ai pas répondu.

– *Salut,* Araminta, a répété Wanda.

– Salut, ai-je dit mollement.

J'ai pris *Comment repérer les loups-garous,* je me suis assise sous la fenêtre du griffon et j'ai commencé à lire.

Wanda se taisait, mais je savais qu'elle me regardait en espérant que j'arrêterais de lire. J'ai continué. Puis, tout à coup, elle a lâché :

– C'est un *vampire* !!

Je n'ai pas répondu. Qu'est-ce qu'elle croyait ! On ne m'a pas comme ça.

– AraMINta ! a dit Wanda en balançant ses petites jambes au bord de la mezzanine. Maximilien est un vampire !

Elle me regardait depuis son lit, et on aurait dit que ses yeux allaient lui jaillir hors de la tête.

– Je sais, ai-je fait, toujours mollement, en poursuivant ma lecture.

– Tu le sais ? Mais comment ?! a-t-elle couiné.

J'ai haussé les épaules.

Pendant un moment, Wanda n'a plus rien dit non plus. Elle continuait à me fixer pour me forcer à arrêter de lire. Mais je ne voulais pas céder. Elle a déclaré forfait :

– Araminta, je peux descendre par le poteau de pompier ?

– Non.

– S'il te plaît.

– Non.

– Je te dirai tous les trucs de vampire que j'ai découverts sur Max ! Alors, je peux ? S'te plaît s'te plaît s'te plaît !

– Bon, d'accord.

– Super !

Wanda a glissé le long du poteau, et une minute plus tard, elle était assise à côté de moi sur le banc sous la fenêtre du griffon et se tortillait pour s'installer confortablement en me disant : « Pousse-toi, Araminta. »

J'ai fermé mon livre. C'était vraiment chouette d'avoir Wanda assise à côté de moi, même si je ne risquais pas de lui dire.

– J'ai découvert que Max était un vampire, a-t-elle déclaré, les yeux écarquillés.

– Et alors ? ai-je dit en bâillant.

– Il parle exactement comme les vampires dans les films !

– Je sais.

Toutes les deux, on sait tout sur les films de vampire, parce que certains soirs, alors qu'on est censées dormir, oncle Drac installe un vieux projecteur dans la salle de bains poilue – elle est poilue à cause de tout le moisi vert dégoûtant qui y pousse partout – et tante Tabby regarde des vieux films de vampire en noir et blanc en mangeant des tonnes de pastilles à la menthe. Elle croit qu'on est couchées ; elle ne se doute pas qu'on les regarde, toutes les deux cachées derrière le canapé, en lui piquant des pastilles quand elle regarde ailleurs.

– Et il a des dents super pointues ! repris Wanda.

– Je sais.

– Et des ongles longs comme des griffes !

– Je sais.

– Et il a vraiment insisté pour voir les chauves-souris ! Mais ce n'est pas comme ça que j'ai su que c'était un vampire.

Wanda s'est tortillée pour se rapprocher encore et elle a murmuré :

– Araminta, tu veux savoir comment j'ai découvert que Max était un vampire ?

Ça devenait intéressant. Apparemment, Wanda avait découvert un truc vraiment sérieux. J'ai fait oui de la tête.

Alors, elle m'a murmuré à l'oreille :

– Quand tu nous as sauté dessus au sous-sol...

– Je ne vous ai pas sauté dessus.

– Mais si. Bref, après ça, on est allés

chercher des nounours, et une des chauves-souris évadées nous a foncé dessus et Max l'a mangée !

Ça, c'était horrible.

– Il a fait comment ? ai-je demandé. Il l'a avalée en entier ou il a un peu mâché d'abord ?

– Je ne sais pas. Je n'ai pas vu.

– Alors, comment tu peux être sûre qu'il l'a mangée ?

– Parce que, a-t-elle chuchoté, quand on est entrés dans la cuisine, il avait du sang qui dégoulinait des coins de sa bouche.

– Argh !

J'ai laissé tomber *Comment repérer les loups-garous*.

– Chut, il va t'entendre, a sifflé Wanda. Les vampires ont une très bonne ouïe. Tu te souviens de ce film où les gens voulaient s'enfuir dans une diligence en longeant une falaise une nuit d'orage, mais où le vampire les a rattrapés parce qu'il avait tout entendu ?

J'ai hoché la tête de nouveau. J'aurais bien voulu voir le sang, ça avait l'air super marrant ; et ça prouvait que j'avais raison à propos de Max.

– Et moi, pendant que tu vampirisais avec Max... ai-je commencé.

– Je n'ai pas vampirisé, m'a coupée Wanda.

– Enfin, pendant que tu faisais je ne sais quoi avec Max, moi, je m'activais à préparer un Double Nécessaire à Piéger Loups-Garous et Vampires, l'ai-je informée.

Wanda a eu l'air impressionnée.

– T'es super futée, Araminta.

– Je sais.

En descendant l'escalier pour aller dîner, Wanda s'est arrêtée brusquement et m'a dit :

– Mais on n'a pas besoin de piéger Max, puisqu'on sait déjà où il est. Il sera à table avec nous.

J'ai soupiré.

– On doit bien le piéger pendant qu'il est en train de mordre quelqu'un, non ? Sinon, tante Tabby ne nous croira jamais.

– Oh, je vois, a fait Wanda.

Et elle a ajouté, inquiète :

– Mais on va le piéger pendant qu'il mord *qui* ?

Quand on veut piéger des vampires – ou des loups-garous –, il faut une personne pour monter le piège et une autre pour servir d'appât. Et vu que c'était mon piège, c'était à moi de le monter. Ce qui, logiquement, ne laissait qu'une personne pour servir d'appât. Mais je ne l'ai pas expliqué à Wanda, parce que je ne voulais pas lui couper l'appétit. Tante Tabby a beau dire, il me semble que je peux être très attentionnée, des fois.

Le ragoût spécial vampire

Ce soir-là, le dîner s'est déroulé de manière super bizarre – et pas juste parce que la chaudière a explosé.

Quand on est arrivées, Wanda et moi, à la deuxième-cuisine-à-gauche-juste-après-le-garde-manger, Max le Vampire aidait à mettre la table et tante Tabby disait :

– Merci, Maximilien chéri. Ça m'aide *beaucoup*. Et tous les couverts sont à la bonne place, en plus. Il faut que tu montres à Araminta comment on met la table de manière aussi impeccable.

Max lui a souri en minaudant, et j'ai remarqué qu'il ne lui montrait pas ses dents de vampire. Il n'avait pas du tout l'air d'un vampire ; il ressemblait plutôt à un fayot tout propre. Ses cheveux étaient soigneusement peignés, son visage était rose et luisant – on voyait qu'il venait de se laver pour se débarrasser du sang – et il avait mis une cravate ! Quand je suis arrivée avec Wanda, il nous a fait la révérence ! Si ça, ça n'est pas du fayotage ! Mais visiblement, tante Tabby trouvait juste que c'était des bonnes manières.

– Bonsoir, Vonda, a-t-il dit, ce qui est sa façon de prononcer le nom de Wanda.

Wanda a émis une sorte de jappement étranglé et elle a filé s'asseoir.

– Bonsoir, cousine Araminta, a-t-il repris en se tournant vers moi.

Et il a fait une nouvelle révérence.

Wanda avait raison : Max avait vraiment un accent de vampire sinistre. Parfois, je remarque qu'oncle Drac a un peu un accent de ce genre-là, mais la plupart du temps, je ne m'en rends pas compte, parce que j'ai l'habitude d'oncle Drac et qu'il n'est pas du tout sinistre.

– Dis bonsoir à ton cousin, Araminta, a dit tante Tabby. Tu peux t'asseoir et fermer la bouche. Ce n'est pas poli de fixer les gens bouche bée.

Elle s'est mise à verser de grandes louches de ragoût tabbyesque dans nos assiettes. Wanda a soupiré. Elle n'aime pas la cuisine de tante Tabby. Avant, ça ne me gênait pas, mais Brenda, la mère de Wanda, est bien meilleure cuisinière, et c'est elle qui prépare les repas, normalement. Elle devait encore être en train de chercher Chouminou.

– Je ne suis pas bouche bée, ai-je dit à tante Tabby. Pas trop de ragoût pour moi, s'il te plaît.

Sans m'écouter, elle a versé dans mon assiette une énorme louchée de mixture qui a giclé sur mon pull. Beurk.

– On ne dit pas ça, Araminta, ce n'est pas

très poli, m'a-t-elle rabrouée, d'un air irrité, en versant une louchée encore plus grosse dans l'assiette de Wanda. Tu ferais mieux de prendre exemple sur les manières de ton cousin Maximilien. C'est l'enfant le plus poli et le plus serviable que j'aie jamais vu.

Qu'est-ce qui clochait avec tante Tabby ? Elle avait subi une greffe de cerveau, ou quoi ? Ça crevait les yeux, que

Max faisait partie de la catégorie des sales vampires qui mordent et elle ne s'en rendait même pas compte ! J'ai donné quelques petits coups de cuiller dans mon ragoût, qui ressemblait à de la gelée figée. Mauvais signe.

Wanda lorgnait sur sa montagne de ragoût comme si le contenu de son assiette allait lui sauter à la figure. Max engloutissait sa part, et arrivait même à avoir l'air d'aimer ça. Tante Tabby le couvait d'un regard plein d'adoration. Je voyais bien qu'à ses yeux il ne pouvait rien faire de mal. Il fallait que je réussisse à lui montrer ce qu'était vraiment Max le Vampire.

Soudain, j'ai eu une idée super géniale. J'avais lu quelque part que les vrais vampires ne supportaient pas l'ail. Ils détestent ça. Alors, j'ai décidé de le pousser à se trahir.

Je l'ai regardé bien en face, pour ne pas rater une miette de son expression, et j'ai dit très gentiment :

– Tante Tabby, tu as mis de l'ail dans ton ragoût ?

– De l'ail ? a répété tante Tabby, étonnée.

Max le Vampire a levé les yeux. Ha ha.

– Oui, de *l'ail*, ai-je confirmé en lançant à Max un coup d'œil entendu.

Il n'a pas réagi. J'ai bien vu qu'il faisait semblant de rien.

– Non, il n'y a pas du tout d'ail, Araminta, a fait tante Tabby, vexée. Tu n'aimes pas ça.

– Mais si. J'aime vraiment beaucoup l'ail. Tu pourrais en râper un petit peu dans mon assiette, s'il te plaît ?

– Quoi ? De l'ail cru ? a demandé tante Tabby. Tu es sûre ?

J'ai confirmé d'un hochement de tête. Ça ne pouvait pas rendre le ragoût plus mauvais qu'il n'était, et c'était un test à vampire important à tenter. J'ai jeté un coup d'œil à Wanda, qui avait l'air de n'y rien comprendre.

Tante Tabby a soupiré. Elle s'est levée en faisant grincer sa chaise et elle est allée chercher une grosse tête d'ail et une petite râpe. C'était le moment de vérité. J'ai dévisagé Max le Vampire, qui fixait l'ail comme s'il ne pouvait pas en croire ses yeux. J'étais sur la bonne voie.

Tante Tabby a râpé un gros paquet d'ail au-dessus de mon ragoût gluant. Beurk. L'odeur était répugnante. Tante Tabby a raison, je déteste ça.

– Tu peux en donner aussi à Wanda ? lui ai-je demandé.

– Quoi, moi ?! a couiné Wanda.

– Oui, je ne veux pas être égoïste et tout garder pour moi, ai-je expliqué.

– Ça ne me gêne pas, je t'assure, Araminta, a répliqué vivement Wanda, tandis que tante Tabby en râpait partout dans son assiette.

– Et je ne veux pas non plus priver Max le Vamp… heu, Max, ai-je ajouté. Je suis sûre qu'il en voudrait aussi.

– Non ! s'est presque écrié Max le Vampire. Je n'aime pas l'ail dans le ragoût. Il est parfait comme ça, merci, tante Tabby. Je n'en ai jamais mangé d'aussi délicieux.

Il lui a adressé un sourire prudent, et sans dents.

– Oh, comme c'est gentil, Max, a ronronné tante Tabby.

Elle s'est assise et a commencé à couper sa viande.

– Tu as beaucoup à apprendre du comportement de Max, Araminta, m'a-t-elle lancé en me fixant d'un regard globuleux.

Quand tante Tabby est grincheuse, mieux vaut changer de sujet. Je me suis empressée de demander :

– Est-ce que Brenda a retrouvé Chouminou ?

Mais apparemment, ma ruse n'a pas marché.

– Non, m'a répondu sèchement tante Tabby en découpant un autre morceau de ragoût.

– C'est sans doute Chouminou qui a servi à faire le ragoût, ai-je chuchoté à Wanda.

Elle a oublié de respirer et lâché sa cuiller.

Tante Tabby – qui dit que c'est extrêmement impoli de faire des messes basses – a paru sur le point d'exploser.

Mais la chaudière l'a fait en premier. *BAOUM* !

Le sale mioche de la chaudière

La chaufferie était dans un état lamentable ; exactement comme avant l'arrivée de Brenda, quand tante Tabby s'occupait toute seule de la chaudière. Il y avait de la suie partout, la porte de la chaudière était suspendue à l'abat-jour et il y en avait des bouts dans tous les coins.

En entendant exploser sa précieuse chaudière, Brenda avait accouru. Au premier coup d'œil, elle s'est mise à hurler :

– Ma chaudière, ma chaudière !

– Ce n'est pas si grave, Brenda, a dit tante Tabby avec mauvaise humeur. J'ai vu pire.

Elle lui a tendu un seau.

– Mets les morceaux là-dedans et je la réparerai plus tard.

Brenda lui a pris le seau des mains en la fusillant du regard.

– Non, tu ne la répareras pas plus tard, a-t-elle décrété. Moi, je vais la réparer tout de suite.

Max a saisi le balai, qui était deux fois plus grand que lui, et a entrepris de balayer toute la suie.

– Oh, merci, Max ! s'est extasiée Brenda en gratifiant Vous-Savez-Qui d'un sourire radieux. Comme c'est gentil ! Merci, mon petit !

Puis elle a lancé à Wanda un coup d'œil typiquement tabbyesque.

– Ça, Wanda, c'est ce que j'appelle se montrer utile. Le petit Max n'a pas attendu qu'on lui demande de balayer, lui. Il s'y est mis tout seul.

L'information n'a pas paru impressionner Wanda. En fait, elle a eu l'air plutôt énervée. Elle m'a attrapée par la manche et m'a entraînée hors de la chaufferie.

– Viens, Araminta, a-t-elle dit bien fort. On s'en va. On va se partager mes nounours gélifiés.

On s'est assises dans le noir dans la première-cuisine-à-gauche-juste-à-côté-de-l'escalier, là où Wanda stocke ses réserves de nounours, et on a vidé deux paquets entiers. C'était chouette, comme autrefois, avant que Max le Vampire débarque. Personne ne savait qu'on était là.

On hésitait à ouvrir un troisième paquet quand qui est passé devant nous ? Brenda et tante Tabby, avec Max le Vampire qui trottait entre elles comme un petit chien. Et elles lui parlaient en roucoulant.

– Comme c'est gentil à toi de m'avoir

aidée à réparer la chaudière, Max, disait Brenda. J'ai essayé de pousser Wanda à s'intéresser à la chaudière, mais elle s'en moque complètement.

– Pourtant, les chaudières sont fascinantes, Mme Sorcel, a gazouillé Max de sa voix de fayot.

Brenda a gloussé.

– Oh, Max, mon petit, appelle-moi Brenda. Tous mes amis le font. Et nous sommes amis, j'espère.

Wanda m'a regardée en faisant semblant de vomir et j'ai fait pareil.

Tante Tabby n'était pas mieux :

– Tu as bien mérité une sucrerie, Maximilien. Tu aimes les pastilles à la menthe ?

– C'est mon bonbon préféré, tante Tabitha, lui a assuré Max le fayot.

Ben voyons. Tante Tabby ne me propose jamais de pastilles à la menthe.

On a attendu que le fan-club de Max le Vampire ait disparu pour se glisser dans le couloir, où il faisait tout noir, parce que toutes les lumières s'étaient éteintes au moment de l'explosion.

Et brusquement, j'ai revu les yeux de loup-garou, qui nous regardaient fixement. Ils étaient vraiment au ras du sol, cette fois-ci, ce qui ne pouvait vouloir dire qu'une chose : le loup-garou s'était tapi pour bondir. J'ai agrippé le bras de Wanda.

– Aïe ! a-t-elle glapi.

– Chut… le loup-garou ! ai-je sifflé.

Mais à la seconde où j'avais ouvert la bouche, les yeux de loup-garou avaient disparu dans le noir.

– Moi, je n'ai rien vu, a fait Wanda d'un ton dubitatif.

– Puisque je te dis que c'était le loup-garou ! Tu connais quoi d'autre qui se promène en faisant des bonds dans le noir avec des yeux luisants ?

On était arrivées au pied de l'escalier qui monte du sous-sol, et je pouvais voir le visage de Wanda à la lumière qui venait de l'entrée. Elle avait son expression qui dit : « Je ne crois pas un mot de ce que tu me racontes. »

– Il ne faisait pas de bonds, Araminta, a-t-elle objecté. Ou on l'aurait entendu.

– Et ça fait quoi comme bruit, exactement, quand on fait des bonds ? ai-je demandé à Mademoiselle Je-Sais-Tout.

– Une sorte de chuintement, comme ça.

(Wanda a frotté ses chaussures par terre.) Et puis après, ça traîne, comme ça (en marchant comme un drôle de crabe à qui il manquerait quelques pattes).

– Pwfiiirgh ! ai-je henni.

– Ce n'est pas drôle, a grogné Wanda.

– Aah... sihihi, c'est drôle !

Rien à faire, j'avais attrapé le fou rire. J'ai dû m'asseoir sur les marches tellement je hoquetais et suffoquais. Wanda, en colère, tapait son petit pied par terre en attendant que j'arrête, quand tout à coup elle a poussé un cri aigu :

– Regarde ! Regarde ! Des empreintes de loup-garou !

Elle avait raison. Tout le long du couloir, il y avait des traces de suie qui dessinaient des empreintes de loup-garou ; et elles montaient l'escalier. Le loup-garou était en liberté dans la Maison aux Revenants.

– Filons ! ai-je hurlé.

Aussitôt dit, aussitôt fait. On a foncé d'une traite jusqu'à notre chambre du vendredi. Et même là, Wanda ne s'est pas arrêtée. Elle a filé tout en haut de l'échelle jusqu'à son lit et plongé sous la couverture. J'ai claqué la porte derrière moi et bloqué la poignée avec une chaise, comme fait l'héroïne dans les films quand le vampire l'a poursuivie à minuit dans tout le château et qu'il a fini par la coincer dans une chambre vide, loin de tous ses idiots d'amis qui ne se doutent pas une seconde de ce qui se passe. J'ai attendu de voir bouger la poignée de porte, comme quand le vampire essaie d'ouvrir et qu'on sait que l'héroïne est fichue et qu'elle va devenir de la chair à vampire... mais il ne s'est rien passé. On était sauvées.

Enfin, pas exactement, avec un loup-garou et un vampire qui erraient dans la Maison aux Revenants ; mais ce n'était pas grave, parce que j'avais un Plan. L'ennui avec mon Plan, c'est que j'avais besoin de l'aide de Wanda et qu'elle était en train de trembler sous ses draps comme un gros tas de mayonnaise. Alors, pendant qu'elle faisait son imitation de mayonnaise, j'ai vérifié mon Double Nécessaire Spookie.

J'ai tiré Wanda du lit pour lui montrer ce qui était incontestablement le meilleur Double Nécessaire à Piéger Loups-Garous et Vampires de l'univers.

– Ça va être le meilleur Double Nécessaire à Piéger Loups-Garous et Vampires de l'univers, lui ai-je annoncé. Évidemment, il faut attendre minuit, parce que c'est l'heure où on est sûr de trouver à la fois les loups-garous et les vampires. Et je suis sûre qu'on ne va pas tarder à les piéger tous les deux.

– Araminta, je ne pars pas en Double Expédition à Piéger Loups-Garous et Vampires, a-t-elle décrété. Pas question. Et encore moins à minuit. Je n'irai nulle part dans la Maison aux Revenants à minuit.

Il faut toujours qu'elle gâche tout.

– Et si ce n'était pas à minuit, tu irais ?

– Non.

J'étais totalement dégoûtée. Il faut être deux au minimum pour attraper un loup-garou ou un vampire. L'un doit faire l'appât

– ce qui, comme je l'ai dit, serait parfait pour Wanda – et l'autre doit réagir au quart de tour et se montrer vif comme l'éclair – ce qui est tout à fait dans mes cordes. Mais clairement, je ne pouvais pas faire les deux en même temps.

Or, je n'avais personne d'autre à qui demander. Impossible de compter sur les adultes pour des trucs comme ça, ce qui excluait Brenda, Barry, oncle Drac et tante Tabby – en plus, qui voudrait de tante Tabby pour l'aider à chasser les loups-garous et les vampires à minuit ? Elle les ferait fuir en courant. Les fantômes en général ne font pas l'affaire pour ce genre de chose, parce qu'ils ne peuvent rien tenir, et nos fantômes à nous en particulier ne nous seraient d'aucune utilité : messire Horace tomberait en pièces et Edmond aurait encore plus peur que Wanda. La seule personne envisageable dans la Maison aux Revenants, c'était Max – sauf que c'était lui qu'on devait capturer.

Il faisait noir, maintenant, et je regardais une pleine lune éblouissante se lever au-dessus des arbres au fond du jardin, assise sur le banc sous la fenêtre du griffon. C'était une nuit parfaite pour une Double Expédition à Piéger Loups-Garous et Vampires, mais à ce moment précis, la meilleure chance que j'avais de faire marcher le Double Nécessaire, c'était de le balancer par la fenêtre en espérant assommer loups-garous et vampires avec.

Mais les choses prennent parfois une tournure totalement imprévue. Trois minutes plus tard, la porte de la chambre du vendredi s'est mise à luire d'une drôle de lueur verte. J'ai été tellement surprise que j'ai voulu rejoindre Wanda sous ses couvertures.

J'étais à mi-hauteur de l'échelle quand j'ai réalisé que c'était seulement Edmond. Il a traversé la porte en miroitant. Edmond est un tout petit fantôme, même s'il doit avoir dans les dix ans ; mais je crois que les enfants étaient plus petits au Moyen Âge, et c'est de là qu'il vient. Il a les cheveux coupés au bol et il porte une tunique avec une super dague coincée dans la ceinture. Il parle avec un drôle d'accent ; messire Horace dit que c'est parce qu'il habitait dans un endroit qui s'appelle la Normandie avant de devenir son page. Edmond n'avait que sept ans quand il est parti de

chez lui pour aller vivre au château de messire Horace ; c'est très jeune pour commencer à travailler. Ça explique peut-être pourquoi il est aussi gringalet ; n'empêche qu'il est énervant. Il flottait dans la pièce juste au-dessus du sol.

– Qu'est-ce que tu veux, Edmond ? lui ai-je demandé.

J'étais vexée d'être surprise à mi-chemin de l'échelle, comme si j'avais peur ou je ne sais quoi, et encore plus quand Wanda, sortant la tête de sous ses couvertures, s'est exclamée d'une voix super excitée, genre « Ça me fait tellement plaisir de te voir » :

– Oh, salut, Edmond !

Elle n'a jamais ce ton-là quand elle me voit, moi.

– C'est messire Horace qui m'envoie, m'a-t-il répondu. Il sollicite votre aide.

Voilà qui s'annonçait intéressant.

– Quel genre d'aide ? a demandé Wanda, qui est une petite curieuse et qui pose toujours des questions.

– Je ne saurais dire, Wanda, je ne suis que le messager. Il demande que vous le retrouviez à minuit devant sa malle au trésor.

– D'accord, j'y serai, ai-je dit. Mais pas

Wanda, parce qu'elle n'aime pas se promener à minuit.

– Mais si, a-t-elle protesté. J'adore me promener à minuit. Tu peux dire à messire Horace qu'on y sera toutes les deux, Edmond.

Bon.

La Double Expédition à Piéger Loups-Garous et Vampires était lancée.

La chasse au vampire

Wanda n'a pas réussi à tenir éveillée. Elle n'a pas tardé à renifler comme un hérisson, ce qui est le bruit qu'elle fait quand elle dort. Du coup, moi, j'ai dû m'empêcher de m'endormir pour être sûre qu'on soit dans l'entrée à minuit. Je me suis assise dans mon lit et j'ai fini de lire *Comment repérer les loups-garous*. Puis j'ai commencé la lecture de *Pièges à vampires pour débutants*, qui n'est pas mal, mais un peu casse-pieds, parce qu'on a l'impression qu'il faut être un professeur allemand avec un drôle de nom pour avoir une chance de capturer un vampire. Mes paupières commençaient à être super lourdes et à se fermer, et je n'arrêtais pas de me réveiller en sursaut. C'était vraiment énervant, parce qu'il n'était pas question que je rate minuit.

Pour rester éveillée, j'ai écouté tous les bruits de la nuit. La plupart des gens auraient la trouille la nuit dans la Maison aux Revenants, parce qu'on entend toutes sortes de bruits bizarres, mais moi, pas du tout, parce que je sais ce que c'est.

La plupart des bruits viennent d'oncle Drac. Il passe presque toutes ses journées à dormir dans son sac de couchage dans la tourelle aux chauves-souris, ce qui veut dire qu'il erre la nuit dans la maison. Mais je reconnais sa toux grincheuse et le bruit de ses pas, et j'aime bien l'entendre se promener. Tante Tabby dort mal et elle se lève souvent pour descendre se faire une tasse de thé à la cuisine. Je reconnais ses pas aussi ; ils sont du genre pointus et impatients. Ces temps-ci, elle regarde souvent des films de vampire dans la salle de bains poilue et j'entends le ronronnement du projecteur et le cliquetis de la pellicule quand elle arrive à la fin de la bobine.

Brenda et Barry ne risquent pas d'arpenter la Maison aux Revenants la nuit. Brenda affirme qu'elle n'a pas peur du noir, mais je sais que ce n'est pas vrai. Et je sais aussi qu'elle tire le verrou de leur grande chambre, qui se trouve à l'avant de la maison, et qu'elle oblige Barry à rester près d'elle. Elle lui interdit de sortir, même pour cinq minutes, au cas où une statue de monstre prendrait vie et viendrait les mordre. Enfin, c'est ce que m'a dit Wanda, et elle est la mieux placée pour le savoir.

Il y a d'autres choses qui font du bruit la nuit dans la Maison aux Revenants. Il y a messire Horace, qui fait *cling-cling* quand il marche, ce qui le trahit toujours ; il y a l'eau qui glougloute dans les tuyaux ; les grandes planches du palier qui craquent à cause de la baisse de température ; la grande horloge de l'entrée, qui a le tic-tac le plus bruyant qui existe, et – depuis que tante Tabby a voulu la réparer – qui sonne treize fois à chaque heure ; et la famille de rats qui se poursuit au grenier en faisant autant de raffut que si chacun d'eux portait de gros godillots.

Bref, si vous passiez une nuit dans la Maison aux Revenants, je parie que vous resteriez éveillé une bonne partie du temps à tout écouter, comme Wanda au début. Mais au bout de quelques nuits, vous vous habitueriez et vous finiriez par renifler, vous aussi.

Sauf que personne ne renifle comme Wanda.

L'horloge de l'entrée venait de sonner treize coups et j'ai ouvert les yeux en sursautant. Il ne me semblait pas avoir dormi et je pensais qu'il devait être autour de onze heures. J'ai écouté les bruits de la Maison aux Revenants, et tout était étonnamment calme, à part quelques craquements de planche sur le palier. Et puis j'ai entendu un nouveau bruit…

D'abord, le bruit d'une porte qui s'ouvrait, mais ce n'était pas celle de tante Tabby ni celle de la tourelle d'oncle Drac. Je le savais, parce qu'elles font un bruit spécial, une sorte de *ooooooh-a-iiiiiik*. Puis j'ai entendu un petit *criik-frrt-criik-frrt,* et j'ai compris que c'était le bruit de l'échelle de corde quand quelqu'un glisse dessus. Et j'ai su tout de suite qui ça devait être : Max le Vampire !

J'ai bondi sur le hérisson renifleur et je l'ai secoué pour le réveiller :

– Wandaaaaaaaa ! ai-je sifflé en plein dans son oreille.

Wanda s'est assise, les cheveux dressés sur la tête comme si elle avait été électrocutée.

– Muurf ?

– Max le Vampire ! Il est en route pour vampiriser. Je l'entends !

– Hmm ?

– Allez, Wanda, dépêche-toi.

L'ennui avec les hérissons, c'est qu'ils n'aiment pas se réveiller. J'ai dû traîner Wanda hors de son lit et déplacer ses pieds sur les barreaux de l'échelle de corde pour la faire descendre, ce qui n'a pas été une mince affaire, mais j'ai réussi. Deux minutes plus tard, elle se frottait les yeux devant le Double Nécessaire Spookie à Piéger Loups-Garous et Vampires, dans son infâme pyjama rose-rêves-de-conte-de-fées.

– C'est le matin ? a-t-elle marmonné.

– Non. Mets tes pantoufles et suis-moi.

À mon avis, Wanda n'avait pas la moindre idée de ce qu'on faisait, mais elle a enfilé ses pantoufles-lapins en peluche avec les oreilles idiotes, pendant que je hissais le Double Nécessaire sur mon épaule. Je crois que c'est seulement quand on est sorties de la chambre qu'elle s'est vraiment réveillée. Elle a regardé partout autour d'elle en écarquillant les yeux, comme si elle se demandait ce qu'elle faisait là. Je suis sûre qu'elle aurait couiné super fort si je n'avais pas plaqué ma main sur sa bouche.

– Mnnnff ! a-t-elle protesté.

J'ai mis un doigt sur mes lèvres en lui faisant signe de me suivre. En se cachant dans l'ombre, on a pris le grand couloir qui longe l'arrière du grenier. C'est là que se trouvent toutes les portes des chambres des jours de la semaine. Wanda est assez douée pour longer les murs, et moi aussi, parce que je me suis beaucoup entraînée pour passer près de tante Tabby sans qu'elle me voie. Donc, on n'a pas eu de mal à se rapprocher le plus possible de l'échelle de corde de notre chambre du samedi. Et en effet, c'était bien lui : Max le Vampire descendait l'échelle, comme une petite araignée noire.

Quand il est arrivé en bas de l'échelle, un rayon de lune a lui sur son visage de papier mâché et fait briller ses cheveux noirs plaqués sur son crâne. Il portait un pyjama noir et une drôle de veste en velours noire, nouée avec une ceinture en soie. Il avait tout à fait l'allure d'un mini-vampire sorti d'un des films de tante Tabby.

Wanda était totalement réveillée, maintenant. Elle a enfoncé ses doigts dans mon

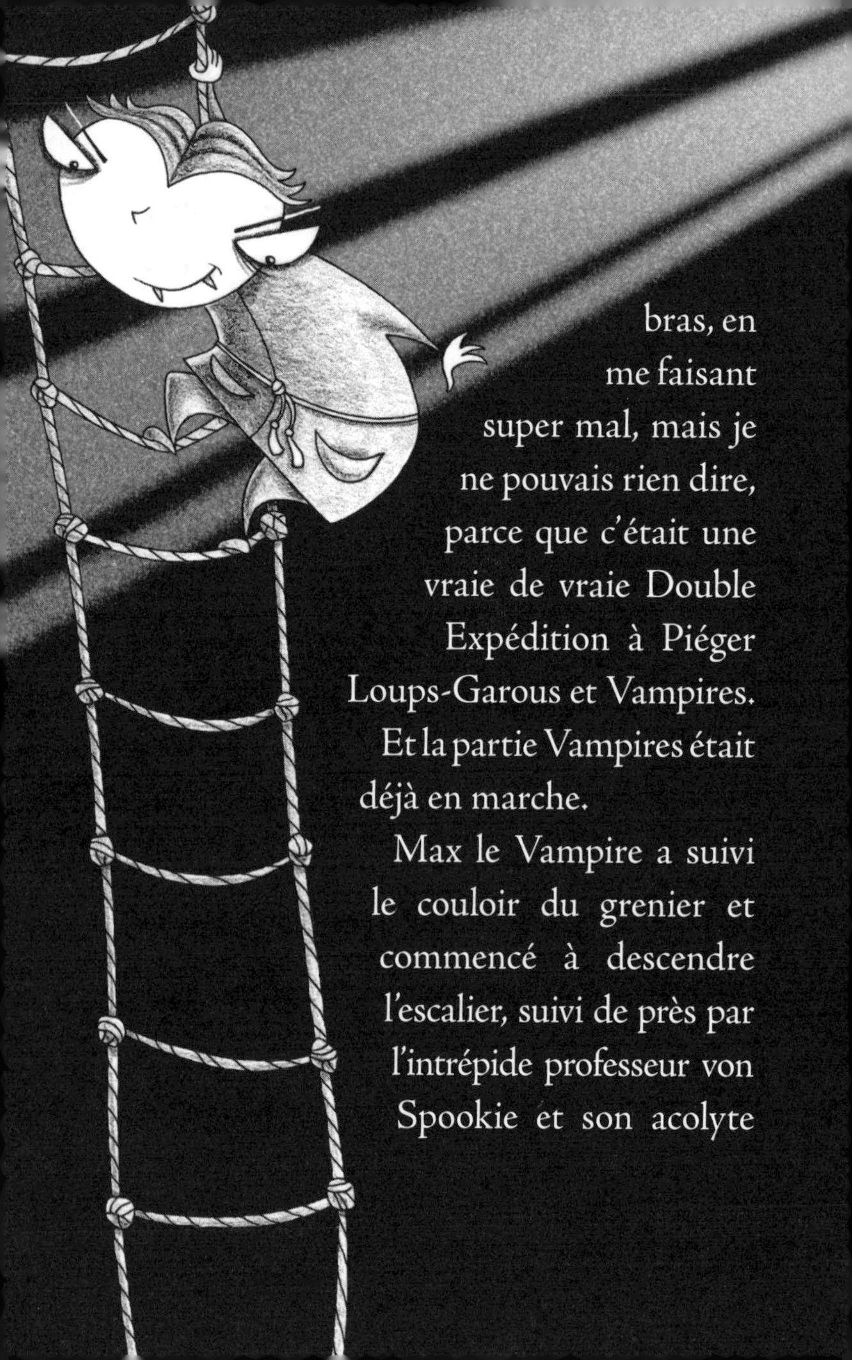

bras, en me faisant super mal, mais je ne pouvais rien dire, parce que c'était une vraie de vraie Double Expédition à Piéger Loups-Garous et Vampires. Et la partie Vampires était déjà en marche.

Max le Vampire a suivi le couloir du grenier et commencé à descendre l'escalier, suivi de près par l'intrépide professeur von Spookie et son acolyte naïve mais bien intentionnée, Vonda von Sorcel. Il ne s'est rendu compte de rien. Il y a eu un moment délicat quand Wanda a traversé une énorme toile d'araignée et que j'ai cru qu'elle allait crier, mais non. On a suivi Max le Vampire en bas de l'escalier et dans l'entrée, en restant dans l'ombre et en évitant les planches qui craquent. C'était bizarre, mais rigolo, dans le genre qui fait un peu peur.

Dans la Maison aux Revenants, il y a plein de portes et de passages secrets tortueux qui mènent à des chambres, des salles de bains, des tourelles et toutes sortes d'endroits. On a pris le couloir de la salle de bains poilue et j'ai vu la lumière tremblotante d'un film qui filtrait par la porte entrouverte. En passant devant, j'ai jeté un coup d'œil à l'intérieur. La tête de tante Tabby se découpait dans la lumière du projecteur. Elle avait vraiment une drôle de forme, parce que tante Tabby met un gros casque pour que le bruit ne dérange personne. Ça tombait bien : elle ne risquait pas de nous entendre – même quand Wanda a fait craquer une planche et qu'on a dû plonger dans l'ombre au cas où Max le Vampire se retournerait. Mais il a continué à avancer sur ses petites jambes avec sa démarche sinistre de vampire, l'air de savoir parfaitement où il allait.

On se perd facilement dans la Maison

aux Revenants, surtout la nuit. Il y a des passages qui sont des culs-de-sac, des escaliers qui ne vont nulle part et des tas de couloirs en zigzag qui tournent en rond et qui vous embrouillent. Il y a aussi des tonnes de rideaux moisis suspendus partout, qui vous sautent dessus quand on s'y attend le moins, et c'est justement comme ça qu'on a perdu la trace de Max le Vampire. Une minute, on le pistait dans le passage tortueux, dans l'aile ouest qui mène à la tourelle fermée à clé, et la minute d'après, un horrible rideau poussiéreux s'était abattu devant nous et Wanda était couverte d'un essaim de mites.

– Argh ! a-t-elle glapi.

– Chut !! ai-je sifflé en la tirant en arrière.

Tout le monde sait que le plus important dans la chasse aux vampires, c'est qu'ils ne doivent pas s'apercevoir qu'ils sont traqués, ou ils peuvent devenir vraiment méchants. Or, j'avais peur que Max le Vampire ne nous ait entendues. On s'est cachées derrière le vieux rideau qui sentait mauvais, en guettant le bruit de ses pas qui reviendraient vers nous, mais il ne s'est rien passé. J'ai tiré le rideau très doucement. Je m'attendais à moitié à découvrir Max en train de nous fixer de ses petits yeux globuleux, la bouche dégoulinante de sang, mais il n'était nulle part. On l'avait perdu.

Wanda s'en fichait.

– Bah, on le capturera demain, a-t-elle commenté en bâillant. J'ai vraiment sommeil. Je veux retourner me coucher.

– Tu ne peux pas, ai-je objecté. Il est presque minuit, l'heure où on a promis à Edmond qu'on retrouverait messire Horace devant sa malle au trésor. Tu te souviens ?

– Oh, a dit Wanda.

Aucune trace de messire Horace dans la salle de bains-avec-un-fantôme-dans-la baignoire. Après ce qui m'a paru durer des siècles, comme je n'avais pas de montre, j'ai demandé l'heure à Wanda.

Wanda porte toujours sa montre rose de fée. Elle dit que c'est Chouminou qui la lui a offerte pour son anniversaire, ce qui est forcément faux, puisque les chats ne peuvent pas offrir de cadeau d'anniversaire. Et s'ils le pouvaient, je ne crois pas qu'ils s'embêteraient à le faire, encore moins un chat ronchon comme Chouminou. Mais sur la carte d'anniversaire, il y avait écrit : « Joyeux anniversaire, Wanda. Bisous de la part de Chouminou », et Wanda y croit.

Sur la montre, on voit une fée qui batifole et ses ailes qui tournent à la place des aiguilles. Wanda a louché sur les ailes pendant une éternité pour déchiffrer l'heure, alors, j'ai regardé. C'était difficile à dire, mais apparemment, une des ailes pointait à la verticale vers le haut et l'autre y était presque. J'en ai conclu qu'il serait bientôt minuit.

Wanda a recommencé à dire qu'elle voulait aller se coucher.

– Non, ai-je rétorqué fermement. Tu ne vas pas te coucher. On est en Double Expédition à Piéger Loups-Garous et Vampires et on n'est pas encore arrivées au bout de la première partie, puisqu'on n'a même pas trouvé un simple loup-garou, et encore moins piégé le vampire.

– Je m'en fiche, a bougonné Wanda. Je ne veux pas trouver un simple loup-garou. Je ne veux même pas trouver un double loup-garou. Et je me fiche des vampires. Je veux retourner me coucher.

– Très bien, alors, vas-y. Moi, je vais attendre messire Horace. À plus tard.

Wanda m'a dévisagée comme si j'avais dit un truc complètement idiot.

– Je ne vais pas y retourner toute seule, Araminta, a-t-elle objecté.

À ce moment-là, j'ai entendu le cliquetis révélateur de l'armure de messire Horace.

– Ah, miss Spookie et miss Sorcel, a-t-il lancé de sa voix tonitruante en entrant dans la salle de bains-avec-un-fantôme-dans-la baignoire. Merci d'être venues. C'est très aimable à vous.

– C'est un plaisir, messire Horace, a pépié Wanda, oubliant fort à propos que quelques secondes plus tôt elle voulait filer se coucher en le lâchant.

– Comme c'est gentil, miss Sorcel. C'est toujours un plaisir de vous rencontrer, ainsi que miss Spookie.

Comme on avait encore un vampire et un loup-garou à capturer, et que le temps pressait, je ne tenais pas à m'attarder et j'ai demandé :

– Pourquoi vouliez-vous nous voir, messire Horace ?

– Je vous serais très reconnaissant de bien vouloir m'accorder une faveur, miss Spookie. Auriez-vous

la gentillesse d'ouvrir ma malle au trésor pour moi ?

Je me suis demandé pourquoi il avait besoin qu'on ouvre sa malle au trésor à minuit, étant donné qu'il aurait pu nous le demander n'importe quand dans la journée, mais j'ai soulevé le couvercle sans discuter.

– Voilà, messire Horace, ai-je déclaré. On va vous laisser, maintenant.

– Puis-je me permettre de vous demander un autre service avant que vous partiez, miss Spookie ? Pourriez-vous, je vous prie, prendre le petit sifflet en argent et siffler trois fois dedans juste au moment où l'horloge sonnera l'heure ?

Voilà qui était assez mystérieux. J'ai fouillé dans la malle et trouvé le sifflet, qui était tout petit et tout éraflé.

– Ah, a dit messire Horace en le voyant. Le voici. C'était la belle époque. Je me rappelle quand Quenotte…

À cet instant, l'horloge de l'entrée a commencé à sonner ses treize coups et messire Horace m'a ordonné en hurlant presque :

– Soufflez ! Soufflez dans le sifflet, miss Spookie !

J'ai obéi. Enfin, je crois. J'ai soufflé un grand coup dedans, mais aucun son n'est sorti. J'ai soufflé de nouveau. Et encore une fois, pour faire trois. Le fait que le sifflet ne fasse pas de bruit n'a pas paru troubler messire Horace.

– Merci infiniment, miss Spookie. Maintenant, je dois aller attendre mon fidèle Quenotte.

Faisant volte-face, il est sorti presque en courant de la salle de bains-avec-un-fantôme-dans-la baignoire.

– C'est qui, Quenotte ? m'a demandé Wanda d'un ton alarmé.

– Je crois que c'est son chien, ai-je répondu en tâchant de me rappeler ce que messire Horace m'avait dit dans l'escalier. Chut... Qu'est-ce que c'est ?

On s'est reculées juste à temps dans la salle de bains – et qui a-t-on vu passer ? Gagné : Max le Vampire.

11

L'APPÂT

La Double Expédition à Piéger Loups-Garous et Vampires redémarrait ; en tout cas, le côté Vampires.

J'ai fait signe à Wanda de me suivre. Elle a soupiré.

– On est obligées ? a-t-elle articulé silencieusement.

– Oui ! ai-je articulé à mon tour.

On s'est glissées hors de la salle de bains-avec-un-fantôme-dans-la baignoire pour se lancer sur les traces de Max. Cette fois, je me suis rapprochée le plus possible, bien décidée à ne pas le perdre.

Je devais être un peu nerveuse, parce que j'ai failli hurler en voyant quelque chose remuer par terre à côté de mes pieds. Puis je me suis rendu compte que c'était juste une des stupides oreilles à paillettes des pantoufles de Wanda, qui frétillaient quand elle marchait.

Max a pris le couloir tortueux qui conduit à la tourelle fermée à clé. Je le sais très bien, parce qu'avant l'arrivée de Wanda j'ai passé beaucoup de temps à essayer de crocheter la serrure. Je me suis demandé si Max avait la clé. Peut-être que la tourelle était bourrée de vampires et qu'il n'était pas venu ici pour vivre avec nous... mais avec eux !

Max a pris un nouveau tournant et j'ai tâché de faire accélérer Wanda. Elle faisait traîner ses pantoufles, et n'était pas franchement l'assistante enthousiaste dont peut rêver un chasseur de vampires. Du coup, évidemment, Max avait disparu quand on a fini par atteindre le tournant suivant.

Je voyais l'escalier qui mène à la tourelle fermée à clé, et la grosse porte tapissée de toiles d'araignées en haut des marches, mais plus de Max. Pas bon signe. J'ai gravi les marches à toute vitesse et tenté d'ouvrir la porte, mais elle était toujours fermée à clé, et on voyait que personne n'y avait touché récemment, parce qu'elle était couverte d'araignées très vieilles et très poussiéreuses qui devaient être là depuis des années.

C'était dingue, Max le Vampire avait totalement disparu ; pile comme dans les films, quand le vampire tombe brusquement dans la rivière par une trappe et qu'il se volatilise. Mais autant ça m'aurait arrangée, que Max tombe par une trappe et se volatilise, autant je savais que ce n'était pas possible. Je connais l'emplacement de toutes les trappes de la Maison aux Revenants, et il n'y en a aucune dans le couloir tortueux de la tourelle fermée à clé.

Dans ce cas, où était-il passé ?

Soudain, je me suis souvenue. La tourelle fermée à clé a un toboggan-issue de secours ! Sous les marches, il y a une petite porte rouge exactement comme celle qui donne sur la tourelle aux chauves-souris d'oncle Drac ; sauf que celle-là s'ouvre sur un gros cylindre qui fait tout le tour de la tourelle pour déboucher en dessous, au sous-sol. Je ne l'avais pas pris depuis des années, parce que tante Tabby me l'avait interdit, et contrairement à ce que vous pouvez croire, ça m'arrive, d'écouter ce qu'elle dit. Elle m'avait aussi assuré qu'il y avait un horrible monstre qui vivait dedans, et ça aussi, ça m'avait un peu refroidie. Mais maintenant, j'étais assez grande pour savoir qu'elle m'avait raconté des salades à propos du monstre.

Wanda ne voulait pas descendre par le toboggan ; et encore moins quand j'ai ouvert la petite porte et braqué ma lampe torche à l'intérieur, parce qu'il était plein d'araignées.

– Je ne vais pas là-dedans, Araminta, a-t-elle déclaré. Pas question.

Comme son ton indiquait clairement qu'elle ne changerait pas d'avis, je l'ai poussée et j'ai sauté après elle. C'était d'enfer. Wanda a un peu hurlé, mais ça ne faisait rien, parce que le son était amorti par les toiles d'araignées. On a dévalé le toboggan à toute bidule, en tournant en rond encore et encore, mais ça ne m'a pas du tout donné le tournis et, en moins de deux, on a déboulé dans le vieux garde-manger du sous-sol.

Wanda n'a pas apprécié. Surtout quand j'ai atterri pile sur elle. Elle a bondi sur ses pieds, et en voyant qu'elle allait me hurler dessus, j'ai posé ma main sur sa bouche en sifflant :

– Chut !

J'ai allumé ma lampe torche. Wanda valait le coup d'œil : elle était couverte d'araignées,

de toiles et de poussière. Moi, ça allait, je n'avais que quelques araignées dans les cheveux, parce que Wanda avait servi de brosse de ramoneur dans le toboggan.

J'ai été étonnée qu'elle ne fasse pas son ramdam habituel, mais elle gardait les yeux rivés par terre.

– Araminta, a-t-elle murmuré, il y a… des… des trucs de loup-garou.

Au début, je ne voulais pas regarder, parce que je m'attendais à voir quelque chose de répugnant, comme du caca de loup-garou, mais j'ai pris sur moi. Or, c'était pire que du caca : des empreintes de loup-garou ! Il y en avait partout. Elles tournaient et tournaient en cercles dans le garde-manger, partaient en zigzaguant jusqu'à la porte et disparaissaient dans le couloir. Le loup-garou avait regagné sa tanière.

Je n'étais pas aussi enthousiaste que j'aurais dû l'être.

– Tu trembles, a observé Wanda.

– Pas du tout, ai-je rétorqué. C'est tes yeux qui ne sont pas en face des trous.

Maintenant, on devait absolument mettre en place le piège à loup-garou. J'avais déjà déterminé l'endroit idéal : une armoire haute et étroite dans laquelle oncle Drac rangeait ses pelles autrefois, juste derrière la trappe à caca de chauve-souris. Je savais qu'il y avait assez de place pour Wanda à l'intérieur, parce que je l'avais déjà enfermée dedans par erreur – c'était vraiment par erreur, même si tante Tabby n'a jamais voulu me croire –, et la veille, j'avais vérifié qu'il y avait assez de place pour moi. C'était trop petit pour deux, ce qui n'était pas un problème, puisque Wanda ne devait pas se trouver dans l'armoire. Elle avait une mission super importante à accomplir à l'extérieur. Elle allait faire l'appât.

J'ai fait signe à Wanda de sortir du garde-manger et j'ai éteint ma lampe torche, pour qu'on ne se fasse pas repérer. Ça faisait vraiment peur, d'avancer sur la pointe des pieds dans le couloir sinistre du sous-sol, derrière toutes les cuisines sombres et les garde-manger et les armoires vides. Même la chaufferie faisait peur, avec sa petite lueur rouge qui filtrait sous la porte et les drôles de bruits de respiration que faisait la chaudière, comme un gros monstre endormi.

On était arrivées tout près du Recoin

Glauque, là où j'avais vu les yeux de loup-garou. Sans faire de bruit, on a dépassé la trappe et on s'est arrêtées devant la vieille armoire à pelles d'oncle Drac. Il fallait que je fasse vite. Je n'avais pas encore prévenu Wanda qu'elle allait jouer l'appât, parce que je soupçonnais que ça ferait du grabuge. Donc, je me suis contentée de lui donner le sachet de biscuits pour chien avant d'entrer dans l'armoire.

J'allais refermer la porte, quand j'ai remarqué qu'elle regardait les biscuits d'un air perplexe.

– Pouah, a-t-elle lâché. Ils ont une drôle d'odeur, ces biscuits. Je te les laisse, Araminta.

– C'est normal qu'ils aient une drôle d'odeur, lui ai-je expliqué. Ce sont des biscuits pour chien. Ça va nous aider à capturer le loup-garou.

Wanda avait toujours son air perplexe.

– Alors, pourquoi c'est moi qui les tiens ? m'a-t-elle demandé.

J'ai soupiré. C'est dur de devoir toujours tout expliquer, surtout quand un loup-garou peut vous sauter dessus d'un instant à l'autre.

– Parce que tu es l'appât, lui ai-je répondu.

– L'appât ?

J'ai cru que ses yeux allaient lui jaillir hors de la tête.

– Oublie, a-t-elle repris. Laisse-moi entrer dans l'armoire.

– Ne dis pas de bêtises, Wanda. Il n'y a pas assez de place pour deux.

Elle a accusé le coup.

– Non, t'as raison, a-t-elle admis après avoir inspecté l'armoire.

Deux secondes plus tard, elle m'avait tirée dehors en me fourrant le sachet de biscuits dans les mains, elle avait sauté dedans et elle avait refermé la porte sur elle.

J'ai secoué la porte, mais pas moyen de la rouvrir. J'ai compris que Wanda la maintenait fermée de l'intérieur. Et j'étais là, en pleine nuit dans un couloir désert, un sachet de biscuits pour chien à la main, attendant que le loup-garou le plus proche me bondisse dessus. Ce n'était pas une sensation agréable.

J'avais envie de cogner sur la porte en hurlant : « Laisse-moi entrer ! », mais je n'osais pas faire de bruit, de peur que le loup-garou ne m'entende. Il ne me restait qu'une chose à faire : mettre en œuvre le Double Nécessaire. Vite, j'ai sorti l'épuisette, au cas où le loup-garou déboulerait du tournant à fond de train, et je me suis entraînée à faire quelques moulinets avec. Ça fonctionnait au poil. Puis j'ai sorti la corde et le sac.

Enfin, j'ai pris la pièce-vedette du Double Nécessaire : les lunettes à hologrammes ; et je les ai mises. Je n'y voyais rien : les yeux bouchaient tout. Je n'avais pas pensé à ça. Mais ensuite, j'ai réalisé que je n'avais pas besoin d'avoir les yeux de loup-garou hologrammes devant mes yeux à moi ; ils pouvaient aussi bien être ailleurs. Alors, j'ai remonté les lunettes sur mon front. C'était parfait. Voilà, j'étais prête à affronter n'importe quoi : vampires, loups-garous, et même tante Tabby.

Mais je n'étais pas tout à fait prête à affronter les froufroutements. Je n'aime pas les froufroutements, surtout après minuit dans le sous-sol de la Maison aux Revenants alors que ma soi-disant meilleure amie s'est enfermée dans une armoire en me laissant dehors comme appât à loups-garous. J'ai d'abord espéré que c'était une des chauves-souris d'oncle Drac. Quand Barry remplit les sacs de caca, il en laisse souvent échapper sans s'en apercevoir. Mais les chauves-souris ne froufroutent pas au ras du sol. Le froufroutement se rapprochait... toujours plus près. Je me suis plaquée contre le mur, et j'ai dû pousser un couinement à la Wanda ou un truc comme ça, parce que, tout à coup, la porte de l'armoire s'est ouverte derrière moi. J'ai failli hurler.

Wanda a sorti son nez de fureteuse et murmuré :

– Ça va, Araminta ?

– Non.

– Pourquoi ? Qu'est-ce qu'il y a ?

– À ton avis ?! Il y a un loup-garou qui arrive. Tu ne l'entends pas ?

Wanda a tendu l'oreille. *Frou-frou... frou-frou*. Elle a un peu blêmi.

– Entre dans l'armoire, a-t-elle sifflé.

Elle m'a attrapée par la manche et tirée à l'intérieur. Je ne pensais pas qu'on tiendrait à deux, mais c'est incroyable comme on peut se faire petit quand il le faut. Wanda a tiré la porte. Elle n'a pas réussi à la bloquer, mais elle la maintenait fermée. On s'est tues… et on a écouté.

Frou-frou… sniff… frou-frou… sniff… Le loup-garou faisait de plus en plus de bruit. Il était pile devant l'armoire. Il a froufrouté encore un peu, reniflé, et froissé le sachet de biscuits pour chien. Puis il s'est mis à gratter à la porte, ce qui n'aurait pas été un problème si Wanda n'avait pas décidé, pour une raison inconnue, d'essayer de s'enfouir dans le fond de l'armoire. Soudain, il n'y a plus rien eu derrière nous ; le fond de l'armoire s'est effondré et on est tombées à la renverse dans le noir.

12

QUENOTTE

J'ai atterri sur Wanda, ce qui était une bonne chose, parce qu'elle a bien amorti ma chute. En levant les yeux, j'ai vu le plafond en brique rouge du tunnel qui traverse le sous-sol, ce qui m'a beaucoup soulagée : tout allait bien. Jusqu'à ce que je voie les yeux de loup-garou. Et cette fois, ils étaient juste au-dessus de moi !

Il était trop tard pour proposer à Wanda d'échanger nos places. Alors, j'ai hurlé :

– À l'ai-ai-aide !

Et Wanda a émis une sorte de gargouillis.

Les yeux de loup-garou se sont rapprochés et j'ai réalisé que ce n'était pas les mêmes que la première fois. Ceux-ci luisaient d'une lueur argentée, pas verte, et ils avaient l'air beaucoup beaucoup plus gros. Mauvaise nouvelle. Et encore pire, je n'avais même pas mon Nécessaire à Piéger les Loups-Garous avec moi – pile quand j'en avais besoin.

La seule chose à faire, c'était filer. Alors que je me demandais si je devais emmener Wanda ou la laisser pour tenir le rôle de l'appât, une lueur verdâtre a éclairé le tunnel.

Tout à coup, la voix d'Edmond a dit :

– Qu'est-ce que vous faites ici, vous ?

– Edmond ! a glapi Wanda.

Elle s'est tortillée pour se dégager et a bondi sur ses pieds.

– Oh, Edmond, tu nous as sauvées !

Elle lui parlait comme s'il était un grand héros, alors qu'il n'avait rien fait du tout.

La lueur émise par Edmond me permettait de voir parfaitement les yeux de loup-garou. C'était un énorme loup, et il était horrible. Sa gueule était grande ouverte, sa langue pendait et ses grands crocs étaient prêts à mordre. Que pouvait faire contre ça un petit fantôme minus ?

C'est simple, le petit fantôme minus s'est approché du loup-garou et lui a gratté les oreilles en disant :

– Bonjour, Quenotte, où étais-tu passé ?

Et le loup-garou s'est assis en remuant la queue comme un toutou.

– Oh, Edmond, a dit rêveusement Wanda, comme tu es courageux !

– Je ne suis pas courageux, Wanda, a rectifié Edmond avec son drôle d'accent. Maintenant, je dois aller chercher messire

Horace. Je reviendrai bientôt.

– Edmond ! a gémi Wanda. Tu ne vas pas nous abandonner avec un loup-garou !

Edmond a ri. En tout cas, c'est à ça que ressemblait le drôle de bruit qu'il a émis.

– Quenotte n'est pas un loup-garou, a-t-il dit. C'est le fidèle louveteau de messire Horace.

Là-dessus, il s'est éloigné en flottant, nous laissant seules... avec Quenotte.

– Je peux dire bonjour à Quenotte, moi aussi ? a chuchoté Wanda.

Elle imiterait tout ce que fait Edmond, si elle le pouvait. Cela dit, elle aurait peut-être du mal à flotter au plafond la tête en bas.

– Si tu veux, ai-je répondu.

– Quenotte est adorable, a-t-elle déclaré. Il a les oreilles toutes douces.

– Comment tu peux le savoir ? lui ai-je demandé. C'est un fantôme !

– Je le sais, c'est tout, a-t-elle répliqué en grattouillant dans le vide. Je suis sûre qu'elles seraient douces si c'était un vrai loup.

– Si c'était un vrai loup, tu ne lui grattouillerais pas les oreilles. Tu serais un steak haché pour loup.

On n'a pas tardé à entendre le *iiik-skwiik-clonk* de messire Horace qui approchait dans le passage secret, et la lueur verte d'Edmond a éclairé les murs. Messire Horace est apparu à l'angle du couloir et, tout à coup, il s'est arrêté net. Quelque chose est tombé de son armure avec un petit *bling* et j'ai attendu qu'il tombe en pièces en retenant ma respiration, mais non. Sa voix tonitruante a explosé joyeusement dans le passage :

– Quenotte !

Quenotte a bondi, et Wanda s'est retrouvée à gratter dans le vide. Le louveteau s'est précipité sur messire Horace en remuant la queue comme un chiot géant, la langue pendante. Messire Horace s'est agenouillé – avec un grincement atroce et un *clonk* inquiétant – et il a jeté ses vieux bras rouillés autour de Quenotte.

– Bonjour, mon vaillant compagnon, a-t-il dit, dans un murmure qui ne lui était pas habituel. Où étais-tu donc passé ?

– Oh, comme c'est touchant ! a roucoulé Wanda. N'est-ce pas, Edmond ?

Elle ne m'aurait pas demandé ça à moi, parce que je ne suis pas aussi cruche qu'Edmond.

La voix de tonnerre de messire Horace

était encore plus joyeuse quand il a déclaré :

– Miss Spookie, je vous remercie d'avoir fait revenir mon fidèle chien de chasse. Votre appel de minuit l'a ramené à mes côtés.

– C'était un plaisir, messire Horace, ai-je répondu. À votre service. Viens, Wanda, on y va.

– Mais je veux rester avec Quenotte ! a-t-elle protesté en ébouriffant les oreilles du loup fantôme. Il est trop mignon !

– Tu verras Quenotte plus tard, ai-je objecté. Au cas où tu l'aurais oublié, on est encore en Double Expédition pour piéger Loups-garous et Vampires. Viens !

On a laissé messire Horace avec son fidèle loup et retraversé l'armoire d'oncle Drac – qui était, bien entendu, la porte secrète du tunnel secret, dont je savais bien qu'elle existait quelque part.

– Maintenant qu'on a trouvé le loup-garou, on peut retourner se coucher ? a imploré Wanda.

J'ai ramassé mon Double Nécessaire là où il était tombé.

– Non, on ne peut pas aller se coucher, ai-je répondu gravement. On n'a pas trouvé le loup-garou, on a trouvé un loup fantôme. Et un loup fantôme ne laisse pas d'empreintes, à ce que je sache. Et le loup-garou avait des yeux verts, pas des yeux de fantôme argentés. En plus, tu as oublié Max le Vampire ?

Wanda n'a pas répondu. J'ai d'abord cru qu'elle boudait, parce que c'est une grosse boudeuse, mais elle m'a agrippé le bras en me montrant la trappe à caca de chauve-souris. Elle était ouverte.

Dans la tourelle des chauves-souris, une lumière vacillante projetait sur les murs des ombres de chauves-souris qui volaient. Je n'ai rien contre les ombres de chauves-souris, puisque qu'elles viennent des chauves-souris, et qu'elles sont mignonnes. Mais je n'aime pas les ombres qui font peur. En particulier les grosses ombres de loup-garou qui font peur. Et il y en avait une gigantesque dans la tourelle des chauves-souris. Mon Double Nécessaire à Piéger Loups-Garous et Vampires ne m'a plus paru aussi génial, tout à coup – même pas mes lunettes à hologrammes.

J'ai tiré Wanda en arrière, mais trop tard. L'ombre de loup-garou nous avait vues et venait sur nous. J'entendais les petits bruits mous qu'elle faisait en marchant dans le caca de chauve-souris.

– Cours ! ai-je crié à Wanda, qui n'avait pas l'air décidée. Vite !!

L'ombre se rapprochait.

J'ai tiré comme une brute sur le bras de Wanda, qui a fait une espèce de saut en avant.

– Aïe ! a-t-elle couiné. Arrête de tirer, Araminta ! C'est juste onc...

Soudain, j'ai entendu :

– Minty ? C'est toi, Minty ?

– Oncle Drac ! me suis-je exclamée. Ce que je suis contente de te voir !

– Je te l'avais dit, a bougonné Wanda.

Oncle Drac s'est faufilé par la trappe en tenant sa lampe torche. Il portait un gros sac de caca de chauve-souris en forme de loup-garou sur l'épaule. Il avait l'air très étonné.

– Miséricorde, Minty, qu'est-ce que tu fais ici au beau milieu de la nuit ?

– On chassait un loup-garou, oncle Drac.

– Et un vampire, mais il a disparu, a précisé Wanda.

– Eh bien, n'allez pas raconter tout ça à tante Tabby, nous a recommandé oncle Drac en souriant. Vous devriez être au lit depuis longtemps. Allez, je vous ramène dans votre chambre.

J'imagine que j'aurais dû être déçue d'abandonner ma Double Expédition à Piéger Loups-Garous et Vampires, mais pas tant que ça. Les loups-garous et les vampires, ça n'est pas aussi facile à attraper qu'on s'imagine et, tout à coup, aller me coucher m'a paru être une bonne idée.

On approchait de la chaufferie quand Wanda a pilé. Oncle Drac et moi, on a failli lui rentrer dedans. Wanda est un peu comme ces jouets mécaniques qu'il faut remonter, et qui s'arrêtent brusquement quand on s'y attend le moins – pas étonnant qu'on lui marche toujours sur les orteils. Elle devrait avoir l'habitude, depuis le temps, mais elle en fait toujours tout un cinéma – à part cette fois-là.

– Passe-moi l'épuisette ! m'a-t-elle dit en sifflant. Vite !!

Je la lui ai donnée. Quand Wanda siffle comme ça, on obéit. Elle a un sifflement très autoritaire. Je n'ai pas vu ce qui s'est passé ensuite, parce que mes idiotes de lunettes à hologrammes – dont j'avais totalement oublié qu'elles étaient perchées sur mon front – sont retombées sur mes yeux et que je n'ai plus vu que deux taches noires. Le temps que je comprenne ce qui m'arrivait et que je me débarrasse de mes lunettes, l'épuisette à capturer les loups-garous était pleine... de Max le Vampire.

J'étais super épatée. À croire que Wanda avait capturé des vampires toute sa vie.

Elle tenait l'épuisette comme si sa vie en dépendait, à plat ventre par terre, et Max le Vampire n'avait aucune chance de s'échapper. L'épuisette était juste à sa taille. Elle le recouvrait de la tête aux pieds et il restait planté là, ses petits bras collés au corps, comme s'il savait qu'il avait perdu la partie. C'est dur de déchiffrer l'expression de quelqu'un qui est pris dans une épuisette à loups-garous et vampires, mais Max le Vampire n'avait pas l'air ravi.

Oncle Drac s'est agenouillé à côté de lui et l'a observé, inquiet.

– Fais attention, Araminta, m'a-t-il avertie. Ça peut être dangereux.

J'étais contente qu'oncle Drac sache que Max était dangereux. Au moins, lui, on n'aurait pas à le persuader que Max le

Vampire devait repartir chez lui. Puis, très prudemment, comme s'il avait peur de se faire mordre, oncle Drac a soulevé l'épuisette. Max le Vampire n'a pas bougé. Il restait là, entièrement couvert d'araignées et de toiles, regardant droit devant lui avec des yeux vides.

Mais il y avait quelque chose de bien pire que ses yeux de vampire bizarres : Max le Vampire avait du sang qui coulait sur ses longues dents pointues.

Qui avait-il mordu ?!

13
LE CHAT-VAMPIRE

Je n'ai pas mis longtemps à comprendre que Max le Vampire n'avait pu mordre qu'une seule personne : tante Tabby. Brenda et Barry s'enfermaient toujours dans leur chambre dès dix heures du soir. Tante Tabby, elle, était en train de regarder des films de vampire dans la salle de bains poilue quand on avait lancé la Double Expédition.

Et sa porte était ouverte.

– Oncle Drac ! Oncle Drac ! me suis-je

écriée. Il faut qu'on retrouve tante Tabby avant qu'il soit trop tard !

– Chut, a dit oncle Drac, toujours à genoux à côté de Max le Vampire.

Il a relevé la tête pour ajouter :

– Je ne crois pas que ce soit une très bonne idée, Minty. Maintenant, ne faites plus de bruit, toutes les deux. On va ramener Max dans son lit. C'est dangereux de réveiller les somnambules.

– Les somnambules ? ai-je soufflé. Ce n'est pas un somnambule ! C'est un vampire !

– Chut ! a répété oncle Drac, assez sèchement.

J'étais sous le choc. Il avait même l'air un peu fâché, alors qu'il n'est jamais fâché.

Mais comme je devais lui faire comprendre que tante Tabby était en danger, j'ai repris :

– Max est un vrai vampire, oncle Drac ! Il mord les gens ! Regarde ses dents ! Regarde le sang ! Il a mordu tante Tabby !!

– Chut, Minty, a murmuré oncle Drac. Tu ne dois pas croire toutes ces vieilles histoires. Plus personne ne mord les gens, de nos jours. Même pas ma mère, ha ha.

– Mais il a des dents super pointues, oncle Drac. On dirait des petites aiguilles.

– J'étais pareil à son âge, Minty. Elles sont comme ça quand elles sortent. Elles vont bientôt s'émousser. Allez, on doit ramener Max dans son lit sans le réveiller.

D'habitude, je crois ce que me dit oncle Drac, mais pas cette fois. C'était du bidon. Et le sang sur les dents de Max, alors ? Comment expliquait-il ça ?!

Oncle Drac a pris Max dans ses bras et l'a

porté dans le couloir du sous-sol, comme un bébé endormi plutôt que comme un horrible sale mioche vampire. Wanda et moi l'avons suivi en traînant les pieds. Dans l'entrée, oncle Drac a jeté un coup d'œil inquiet sur l'horloge. Il était presque une heure. Il a accéléré et on a dû se mettre à courir pour le suivre.

En approchant de la salle de bains poilue, j'ai vu les lumières vacillantes du film qui filtraient sous la porte entrouverte. Mais oncle Drac ne s'est pas soucié une seconde de tante Tabby. Il est passé à fond de train devant la salle de bains sans même regarder à l'intérieur ; je suis sûre qu'il a encore accéléré, même.

– Viens, Wanda, ai-je dit en la tirant vers la porte. On doit aller sauver tante Tabby.

Wanda n'a pas eu l'air emballée.

– On est obligées ? a-t-elle chuchoté.

– Oui. Allez... dépêche-toi !

Mais rien à faire ; elle s'agrippait à la poignée de porte. Finalement, j'ai réussi à la pousser dans la pièce.

C'était très bizarre, là-dedans. Le film de vampire passait toujours, mais à cause du casque, il n'y avait pas de son, juste le ronronnement du projecteur. L'histoire était proche du moment crucial. Le vampire, très beau et très élégant, avançait furtivement sur le toit d'un château recouvert de neige au milieu d'une forêt. On voyait qu'il se dirigeait vers la fenêtre que l'héroïne tentait désespérément de fermer. On savait qu'elle n'y arriverait pas. On se demandait même pourquoi elle se fatiguait à essayer, mais c'est comme ça, les héroïnes.

Je voyais tante Tabby de dos, et la drôle de forme de son casque sur ses oreilles ; la boîte de pastilles à la menthe était par terre à ses pieds, à moitié vide. On aurait dit qu'il ne s'était rien passé du tout. Mais c'est normal, avec les vampires. Ils passent à l'acte tellement vite qu'on n'a pas le temps de les voir venir. En plus, Max le Vampire était tout petit ; tante Tabby ne l'aurait pas vu venir même s'il n'avait pas été un vampire.

Tout à coup, j'ai ressenti la même angoisse que Wanda : moi non plus, je ne voulais plus voler au secours de tante Tabby. J'avais vraiment peur de ce que j'allais trouver. Mais il fallait bien que quelqu'un le fasse et il n'y avait que moi, je n'avais pas le choix. J'ai respiré à fond, j'ai marché droit vers le canapé et je me suis forcée à regarder tante Tabby. Elle fixait l'écran d'un regard vide – comme tous les gens qui se sont fait mordre –, et même

si je n'ai pas vu de sang, j'ai su que Max le Vampire avait frappé.

– Tante Tabby ! ai-je hurlé en la secouant comme un prunier. Hé, tante Tabby ! Réveille-toi, réveille-toi !

Elle a bondi comme si elle avait reçu une décharge électrique. Elle a sauté sur ses pieds, enlevé son casque et…

– Aaaaaaaaaaaargh !!

Mes oreilles ont tinté bizarrement. Tante Tabby m'a regardée comme si elle essayait de comprendre ce qui se passait, puis elle a crié tellement vite que les mots sont sortis tout collés :

– OhmondieuAramintamaisàquoitu-joues ? J'ai failli avoir une crise cardiaque ! Tu devrais être dans ton lit !

C'est là que l'horloge de l'entrée a sonné

treize coups. Tante Tabby a consulté sa montre.

– Il est une heure du matin ! a-t-elle soufflé. Qu'est-ce que tu fabriques debout si tard ? Où est Drac ?

Tante Tabby ne se rendait visiblement pas compte qu'elle l'avait échappé belle. Oncle Drac est entré en courant.

– Tabby, a-t-il dit d'un air super inquiet (pas trop tôt !), Tabby, qu'est-ce qu'il y a ? Tu vas bien ?

– À peu près, a répondu tante Tabby d'une voix un peu tremblante. Araminta est arrivée sur moi par surprise et m'a flanqué la peur de ma vie. Je ne vois vraiment pas ce qui lui prend.

Elle s'est affalée dans le vieux canapé et a commencé à s'éventer avec le couvercle de la boîte de pastilles à la menthe.

– Oh, Minty, a soupiré oncle Drac, qu'est-ce qu'on va faire de toi ?

Il a souri d'un sourire fatigué, m'a serrée fort contre lui et il a dit à tante Tabby :

– Minty s'est mis dans la tête que Max est un vampire.

– Quoi ? a lâché tante Tabby, suffoquée.

– Il a encore mangé des bonbons à la cerise.

– Et moi qui ai promis à ta mère que je ne le laisserais pas mettre la main sur des bonbons rouges ! a-t-elle gémi.

– Eh bien, il doit avoir des réserves planquées quelque part, a supposé oncle Drac.

Tante Tabby a soupiré :

– J'imagine qu'il a eu une crise de somnambulisme ?

Oncle Drac a fait oui de la tête.

– Ne t'inquiète pas, Tabby. Il va bien. Il ne s'est pas réveillé. Il dort à poings fermés dans la chambre du mardi. Je n'ai pas eu le courage d'affronter l'échelle de corde.

« Ben voyons », ai-je pensé. Alors comme ça, Max le Vampire avait aussi récupéré la chambre du mardi. On n'allait pas tarder à passer toute la semaine dans la chambre du vendredi – s'il ne la récupérait pas aussi !

Le film est brusquement arrivé au bout de la pellicule, qui s'est mise à tourner sur elle-même en sifflant. Oncle Drac a bondi à son secours.

Tante Tabby nous a fait le coup classique, à Wanda et moi, de son regard tabbyesque, et elle a dit :

– Au lit !

On a filé direction le grenier.

Sur la pointe des pieds, on est passées devant la chambre du mardi. Par terre devant la porte, il y avait un sac en papier froissé. Je l'ai ramassé, parce que tante Tabby répète toujours : « Si tu trouves un papier par terre, ne le laisse pas traîner, Araminta. Ramasse-le et mets-le à la poubelle. »

Je l'ai ramassé, mais je n'allais pas le mettre à la poubelle, ça, non. Il y avait quelque chose dans le sac, et je savais quoi.

– Regarde, Wanda, les bonbons à la cerise de Max. Tu en veux un ?

Je savais qu'elle en prendrait un, parce que Wanda ne refuse jamais un bonbon. Elle a fourragé dans le sac pour trouver le plus gros, comme d'habitude, et l'a mis dans sa bouche.

– Et tfoi, t'on pronds pfas ? m'a-t-elle demandé, la bouche pleine.

J'ai secoué la tête. Il n'était pas question que je touche à un des bonbons que Max le Vampire avait trimballés toute la journée dans ses pattes collantes. En plus, c'était un test, et un vrai scientifique ne participe pas aux tests. Il observe les résultats. C'est ce que j'ai fait. Les résultats ont été stupéfiants.

Un mince filet de jus de cerise rouge dégoulinait sur le menton de Wanda. Et plus elle mâchonnait, plus ça dégoulinait. C'était incroyable. On aurait vraiment dit du sang. Wanda Sorcel était un vampire !

Le lendemain matin, tante Tabby nous a dit que Max rentrait chez lui le samedi et qu'on devait être gentilles avec lui, et que si on l'entendait marcher la nuit, on devait aller la prévenir tout de suite. J'ai pensé qu'on pouvait bien faire ça, pour le temps qu'il restait.

Une fois qu'on l'a laissé participer à nos activités, Max a arrêté d'être aussi fayot avec tante Tabby et Brenda. Plus tard dans la matinée, on est tombés sur messire Horace qui promenait Quenotte dans la Maison aux Revenants. Messire Horace – qui n'a pas l'habitude de marcher beaucoup – avait envie de se reposer et nous a laissés promener Quenotte à sa place. C'était génial. Promener un loup fantôme, c'est le top du top. On a fait visiter toute la Maison aux Revenants à Quenotte – et à Max – et ils ont vu tous les trucs les plus intéressants. Le seul endroit où Quenotte a refusé d'aller, c'était au Recoin Glauque, derrière la trappe à caca de chauve-souris. Ses poils se sont hérissés sur son dos et il a poussé un grondement vraiment horrible.

Tout à coup, on a entendu un grand cri perçant. Deux yeux verts de loup-garou ont surgi de nulle part ; et l'instant d'après, une énorme boule de fourrure, aussi grosse que Chouminou, a atterri en plein dans Quenotte. Quenotte a hurlé et Chouminou a craché en sortant ses griffes.

– Chouminou ! a braillé Wanda.

Elle a essayé de le prendre, mais il a filé dans le Recoin Glauque.

C'est là qu'on a découvert les chatons. Trois minuscules chatons noirs, blottis en haut de la pile de sacs de caca de chauve-souris de Barry. Wanda les a trouvés encore plus craquants que Quenotte, mais moi, je préférais Quenotte.

Quand Wanda lui a annoncé la nouvelle, Brenda a été aux anges. Elle a poussé le même cri perçant que Chouminou. Elle a transporté les chatons dans la chaufferie, où il fait plus chaud, mais Chouminou les a ramenés direct au Recoin Glauque. Alors, Brenda les a portés de nouveau dans la chaufferie, et Chouminou les a redéplacés. Au bout du compte, c'est Chouminou qui a gagné et Brenda a fini assise dans le Recoin Glauque.

Je n'avais toujours pas très envie d'aller au Recoin Glauque. J'avais déduit de tout ça que les yeux verts étaient ceux de Chouminou et qu'ils étaient en hauteur parce qu'elle (puisque Chouminou est une fille) était couchée en haut de la pile de sacs. Mais je ne saisissais pas l'histoire des empreintes. Elles étaient bien trop grandes pour être celles de Chouminou. Est-ce que ça voulait dire qu'un loup-garou rôdait toujours dans la Maison aux Revenants ?

Juste au cas où, je portais toujours mon sac à dos avec le Double Nécessaire – même si on n'avait plus besoin des trucs pour vampires.

Le samedi, Wanda et moi, on a aidé Max à ranger ses affaires dans son cercueil. À trois, on l'a porté en bas et on a attendu l'arrivée du corbillard. Puis Max a dit qu'il voulait dire au revoir aux chatons. Dans le Recoin Glauque, Barry remplissait des sacs de caca de chauve-souris pendant que Brenda nourrissait Chouminou de lait et de poisson. Chouminou était beaucoup plus mince depuis qu'elle avait eu ses petits, mais ça n'allait pas durer si Brenda lui apportait sans arrêt à manger.

Max a dit au revoir aux chatons. J'ai trouvé qu'il avait vraiment l'air triste. Puis il a dit au revoir à Brenda, sans être fayot du tout. Il a juste dit :

– Au revoir, Brenda.

Et il continuait à caresser son chaton préféré, un petit noir avec une tache blanche de chaque côté de la bouche, comme des dents de vampire.

– Au revoir, Max, a répondu Brenda. Merci de nous avoir aidées à réparer la chaudière. Tu aimerais peut-être avoir un chaton, quand ils seront assez grands pour quitter Chouminou ?

Max lui a souri, un méga sourire de vampire, et j'ai vu étinceler ses dents pointues. Mais ça ne m'inquiétait plus, parce que je savais qu'oncle Drac avait dit la vérité : quand Max serait grand, elles ne seraient plus pointues, mais mignonnes comme les siennes.

– Oh oui, s'il te plaît ! s'est exclamé Max. Je voudrais celui-là.

– Alors, le petit chat-vampire est à toi, a conclu Brenda.

Max était si excité qu'il a filé dans le couloir en passant en plein dans le caca de

chauve-souris. C'est là que j'ai remarqué les empreintes de loup-garou : elles venaient des chaussures de Max ! J'ai donné un coup de coude à Wanda.

– Regarde ! C'est Max qui fait les empreintes de loup-garou !

– Je sais, a dit Wanda.

– Tu sais ? Mais comment ?

– Je croyais que c'était toi, la détective, a répliqué Mademoiselle Je-Sais-Tout.

– Je ne peux pas être en même temps détective et chasseuse de loups-garous et de vampires, ai-je objecté. Il faut savoir déléguer.

– Il faut quoi ? m'a-t-elle demandé.

– Déléguer. Laisser faire les choses par quelqu'un d'autre. Comme moi : je te laisse enquêter sur les empreintes de loup-garou, tu vois ?

– Oh, d'accord. Bon, j'ai compris quand il s'est agenouillé pour mettre ses affaires dans son cercueil. Il a un gros machin d'empreinte de loup-garou sur le talon de ses semelles. Alors, quand il court, il laisse des empreintes de loup-garou. C'est marrant, non ? J'aimerais bien avoir des chaussures qui font des empreintes de fée.

– Les fées ne laissent pas d'empreintes, ai-je rectifié. Elles volent.

Avant que Wanda ait pu me répondre, on a entendu un grand coup à la porte et on a couru ouvrir. Je suis arrivée la première, même avant tante Tabby.

Sur le seuil se tenait la fille presque adulte. Toute seule !

– Bonjour, Mathilda ! ai-je dit en prenant ma meilleure voix d'adulte. Tu veux entrer ?

– Avec plaisir, Araminta, m'a-t-elle répondu.

J'étais épatée. Elle se souvenait de mon nom !

Puis elle a repris, comme si j'étais aussi grande qu'elle :

– J'espère que Max ne vous a pas trop dérangés.

– Pas du tout, lui ai-je assuré en souriant. Nous sommes désolés qu'il nous quitte.

Et c'était vrai. J'ai ajouté :

– Je vais demander à Barry d'aider Perkins à porter la malle. Veux-tu une tasse de thé avant de repartir ?

– Ce serait merveilleux, Araminta. Merci beaucoup, a-t-elle accepté avec un sourire.

Alors, je l'ai emmenée en bas, dans la troisième-cuisine-à-droite-juste-après-le-tournant-derrière-la-chaufferie et j'ai préparé du thé.

Pendant tout ce temps, tante Tabby n'a pas ouvert la bouche. On aurait dit qu'elle avait avalé une balle de tennis et qu'elle se demandait quoi faire ensuite. En fait, elle n'a pas ouvert la bouche jusqu'à ce qu'on ait dit au revoir à Max et à Mathilda et que le corbillard ait disparu derrière le tounant. Là, elle a déclaré :

– Eh bien, Araminta, je dois dire que tu as parfaitement pris exemple sur les manières de Max.

Je n'ai pas répondu, parce qu'elle n'aurait pas compris.

– Allez, viens, Wanda, ai-je dit. On va voir si Max a laissé des bonbons quelque part.

Et on s'est installées dans notre chambre du samedi pour manger trois chewing-gums à la banane, deux guimauves à la

rhubarbe, dix crocos roses gluants, quatre caramels durs, un bout de caramel mou, deux chewing-gums à la fraise et toute une barre chocolatée raisins-noisettes.

Quand je serai grande, je veux être exactement comme Mathilda. Mais pas tout de suite.

ANGIE SAGE, l'auteure acclamée de la série Magyk, partage sa maison avec trois fantômes. Deux d'entre eux arpentent l'entrée de temps à autre, pendant que le dernier reste assis pour admirer la vue de la fenêtre. Tous les trois sont de grands timides, et parmi les fantômes les plus sympathiques qu'on puisse souhaiter rencontrer. Angie Sage vit en Angleterre.

JIMMY PICKERING a étudié l'animation de personnages pour le cinéma et le dessin animé. Il a travaillé pour Hallmark, Walt Disney et Universal Studios. Il est aussi l'illustrateur de nombreux ouvrages.

RETROUVE LES AVENTURES DÉLIRANTES D'ARAMINTA !

Moi, c'est Araminta Spookie et j'habite une maison hantée d'enfer… enfin, presque hantée ! Disons que je n'ai pas encore trouvé de fantôme, mais ça, je suis sûre que c'est parce que les revenants ont peur de tante Tabby ! D'ailleurs, moi aussi, si j'étais un fantôme, elle me ferait peur ! En plus, elle veut vendre la maison ! Mais j'ai des armes secrètes : elle va voir ce qu'elle va voir !

À la maison, nous avons accueilli Wanda et ses parents. Ajoutez deux fantômes, messire Horace et Edmond : ça en fait, du monde ! D'ailleurs, messire Horace va bientôt avoir cinq cents ans ! Manque de chance, les catastrophes s'enchaînent. Entre l'anniversaire à organiser, une chauve-souris à retrouver et une grotte très spéciale à explorer, je ne sais plus où donner de la tête !

Les grenouilles de Barry ont disparu, et bien sûr, c'est moi qu'on accuse ! Pourtant, les suspects ne manquent pas : l'infirmière Watkins et sa sacoche mystérieuse ou Émilien Dumilley et son étrange parc aquatique…

Heureusement que moi, Araminta, chef détective de l'Agence de détectives Spookie, j'ai l'œil ! Parce qu'avec Wanda comme acolyte, l'affaire est loin d'être résolue…

ARAMINTA

N'EST PAS AU BOUT DE SES SURPRISES...

D'AUTRES TITRES À PARAÎTRE EN 2009 !

N° éditeur : 10144136 – Dépôt légal : janvier 2009
Imprimé en France - n°L48549